ALEJANDRO BULLÓN

TODO MIEMBRO, INVOLUCRADO

UN LLAMADO A SERVIR

12501 Old Columbia Pike, Silver Spring, MD, USA

Título del libro en inglés:
Total Member Involvement

Publicado por Review and Herald® Publishing Association

Impreso en los Estados Unidos de Norte América.

Este libro fue editado por: Ramón Canals
Editor de copia: Pablo M. Claverie
Traducido por: Miguel Valdivia
Diseño interior: Mark Bond
Diseño de contratapa: Mark Bond.
Foto de portada: Andrew Yesudhason
Tipografia: 10/14 Minion

Bullón, Alejandro
Todo miembro, involucrado: Un llamado a servir.
Incluye referencias bibliográficas.

ISBN: 978 0 8280 2826 4

MES DE IMPRESIÓN 2017
1. Cristianismo—Servicio Cristiano 2. Evangelismo

| TABLA DE CONTENIDOS |

| PREFACIO |

Nuestra obra evangelizadora y misionera hacia otros se incrementa a medida que nos acercamos a la pronta segunda venida de Cristo. El evangelismo integral puede adoptar muchas formas, pero normalmente culmina con algún tipo de grupo pequeño o reunión pública en los que la Biblia se convierte en el foco central para que los corazones de las personas puedan ser tocados con la verdad eterna. El Espíritu Santo puede trabajar de maneras maravillosas cuando la Palabra de Dios es presentada de una manera clara, concisa y atractiva. La oportuna y poderosa historia de la salvación de Dios es profunda y es bendecida por el Cielo. La revelación de la verdad bíblica requiere ocupar cada vez más de nuestro tiempo y debemos hacerlo de toda manera posible. Donde puedan realizarse reuniones públicas, deben intentar realizalas por todos los medios. Donde los grupos pequeños estén mejor posicionados para tocar una vida, sosténgalos. Elevemos a Cristo, su justicia y su servicio en el Santuario. Seamos fieles a Dios, a su Palabra y al Espíritu de Profecía. Participemos activamente en el programa *Todo miembro, involucrado*.

El secreto de *Todo miembro, involucrado* incluye visitas a domicilio, estudios bíblicos en hogares, intensos programas de oración, divulgación de ministerios de salud, distribución de literatura adventista, participación de los jóvenes, servicios comunitarios, actividades de ADRA, cantos de alabanza para el Señor, evangelismo personal, evangelismo público y muchas formas más de evangelización. Estas actividades involucran a todos los que están dispuestos, ya que el Señor ha pedido a todos que participen en la proclamación del evangelio y del mensaje de los tres ángeles, como vemos en Mateo 28:19 y 20: "Por tanto, id, y haced discípulos a todas las naciones, bautizándolos en el nombre del Padre, y del Hijo, y del Espíritu Santo; enseñándoles que guarden todas las cosas que os he mandado; y he aquí yo estoy con vosotros todos los días, hasta el fin del mundo".

¡Qué privilegio para cada uno de nosotros hacer algo por Jesús! Usted no tiene que ser un pastor para hablar a los demás personalmente o públicamente sobre el gran plan de redención de Dios. A todos los miembros de la iglesia se les pide que anuncien el mensaje final de Dios al mundo, de que Jesús viene pronto. ¡Pueden hacerlo personalmente y públicamente! *Todo miembro, involucrado* incluye a hombres, mujeres, jóvenes y niños en la proclamación de la verdad de Dios. Los laicos se unirán con pastores y líderes de iglesias, nos dice Elena de White en *Testimonios para la iglesia*: "La obra de Dios en esta Tierra no podrá nunca terminarse antes que los hombres y mujeres abarcados por el total de miembros de nuestra iglesia se unan a la obra y aúnen sus esfuerzos con los de los pastores y dirigentes de las iglesias" (*Obreros evangélicos*, p. 363). Esto es lo que implica *Todo miembro, involucrado*: todo el que hace algo por Jesús, incluyendo hablar por él, sea usted un laico, un pastor, un hombre, una mujer, un joven o un niño. Que Dios bendiga, en todas las formas posibles, este acercamiento evangelizador al mundo gracias al poder del Espíritu Santo. ¡Jesús viene pronto!

***Ted N. C. Wilson,** Presidente*
Asociación General de los Adventistas del Séptimo Día

| INTRODUCCIÓN |

Es un privilegio para mí presentar el libro *Todo miembro, involucrado*, porque creo que provee los principios y las aplicaciones prácticas para alcanzar a las personas y ayudarlas a convertirse en discípulos de Jesús. También creo que tienes en tus manos un libro que te inspirará a compartir a tu mejor Amigo, Jesús, con los demás, en forma sencilla y no amenazadora.

La proclamación del evangelio a todo el mundo fue la primera prioridad de Jesús desde el comienzo de su ministerio hasta el final. Desde su bautismo y ascensión al cielo, la preocupación principal de Jesús fue doble. Primero, buscar y salvar a los perdidos; y segundo, enseñarles a otros cómo buscar y salvar a los perdidos. Su meta principal fue evangelizar y enseñar a la gente cómo hacerlo (Lucas 19:10). De esto se trata este libro.

La Asociación General de los Adventistas del Séptimo Día ha lanzado una iniciativa visionaria denominada *Todo miembro, involucrado*. *Todo miembro, involucrado* es todos haciendo algo por Cristo. Cada miembro, cada pastor, cada maestro, cada administrador. Cada miembro, involucrado en la misión de la iglesia. Este libro es uno de muchos recursos que están siendo producidos por la Asociación General para motivar la participación de cada miembro de iglesia.

La gran comisión que Jesús les dio a sus discípulos fue simple, clara y poderosa. La orden fue: "Haced discípulos". Este es un llamado a cada miembro de iglesia a hacer algo, a involucrarse en la misión de salvar al mundo.

En el mismo comienzo de su ministerio, Jesús les dijo a sus discípulos: "Síganme y los haré pescadores de hombres" (Mateo

4:19). Al final de su ministerio terrenal, él dijo: "Toda autoridad me es dada en el cielo y en la tierra. Por lo tanto, id y haced discípulos de todas las naciones" (Mateo 28:18, 19).

Jesús les dijo: "Id y haced discípulos". Esa era su misión: hacer discípulos. Y ¿qué sucedería con los discípulos que hiciesen? Debían hacer otros discípulos; y esos discípulos, otros discípulos; y así seguir hasta que el evangelio llegara a cada nación de la Tierra.

Lo que Jesús estaba haciendo aquí era crear un organismo de perpetuidad propia que continuaría reproduciéndose. La intención de Jesús era que un discípulo hiciera otro discípulo. Estaba estableciendo el principio de la multiplicación, en que un discípulo generara y desarrollase a otros discípulos, quienes a su vez harían lo mismo. Ha sido comprobado, y se ha demostrado en este libro, que no hay mejor manera de hacer esto que ayudando a la gente a involucrarse en la misión de la iglesia a través de grupos pequeños.

El pastor Alejandro Bullón ha sido un instrumento para traer a miles de personas a los pies de Jesús usando algunos de los principios bíblicos simples pero poderosos para la ganancia de almas que él comparte en este libro.

Es mi oración que este recurso valioso encuentre no solo un lugar en un estante de tu biblioteca, sino también un lugar especial en tu corazón mientras buscas seguir el mandato del Maestro de hacer discípulos involucrándote en la misión.

Ramon J. Canals, *D. Min., Director*
Escuela Sabática y Ministerio Personal
Asociación General de los Adventistas del Séptimo Día

CLAVE DE ABREVIATURAS

AFC	*A fin de conocerle* (1965)
ATO	*Alza tus ojos* (1983)
CBA	*Comentario bíblico adventista* (7 tomos)
CC	*El camino a Cristo*
CM	*Consejos para los maestros, padres y alumnos*
CPI	*Consejos para la iglesia*
CS	*El conflicto de los siglos*
CSS	*Consejos sobre la salud*
CV	*Conflicto y valor* (1971)
DTG	*El Deseado de todas las gentes*
Ed	*La educación*
EJ	*Exaltad a Jesús*
Ev	*El evangelismo*
FO	*Fe y obras*
FV	*La fe por la cual vivo* (1959)
HAp	*Los hechos de los apóstoles*
HR	*La historia de la redención*
HS	*Historical Scketches*
JT	*Joyas de los testimonios* (3 tomos; *JT* 1, etc.)
LO	*La oración*
MC	*El ministerio de curación*
MCP	*Mente, carácter y personalidad* (2 tomos; *MCP* 1, etc.)
OE	*Obreros evangélicos*
PVGM	*Palabras de vida del gran Maestro*
RH	*Review & Herald*
RJ	*Reflejemos a Jesús* (1986)
SC	*Servicio cristiano*
ST	*Signs of the Times*
SW	*Southern Watchman*
TI	*Testimonios para la iglesia* (9 tomos; *TI* 1, etc.)
TM	*Testimonios para los ministros*

CAPÍTULO 1

TODO MIEMBRO, INVOLUCRADO

LOS DISCÍPULOS, AQUEL DÍA, ESTABAN PREOCUpados en velar por su Maestro. Deseaban que se alimentara, para resistir la jornada dura que les esperaba. Jesús, sin embargo les respondió de un modo extraño: "Mi comida es hacer la voluntad del que me envió, y llevar a cabo su obra. ¿Acaso no dicen ustedes: Aún faltan cuatro meses para el tiempo de la siega? Pues yo les digo: Alcen los ojos, y miren los campos, porque ya están blancos para la siega" (Juan 4:34, 35).

Hay dos pensamientos que merecen ser resaltados en la respuesta de Jesús. El primero es la importancia de llevar a cabo la Obra del Padre. No de cualquier forma, sino haciendo su voluntad. El segundo pensamiento es que los campos ya están blancos para la siega. ¡No hay tiempo que esperar! El mundo ya está maduro. Las personas sufren y buscan desesperadamente la solución para sus problemas en una infinidad de aparentes salidas, pero solo se frustran y pierden la esperanza. El pecado ya ha hecho mucho mal. ¡Es hora de que Jesús regrese!

Pero, la obra de proclamar las buenas nuevas de la salvación en Jesús debe ser terminada. *Todo miembro, involucrado* es la forma de Dios de preparar a su pueblo y al mundo para la segunda venida de Jesús.

Al ver el dolor de un mundo que se hace pedazos, no podemos quedarnos de brazos cruzados. ¡Es tiempo de cosechar! Pero, no puede existir cosecha donde no se sembró ni se cultivó. Las campañas de evangelismo que realizamos son proyectos maravillosos de cosecha. Pero ¿cómo cosecharemos si no sembramos? Por otro lado, el trabajo de siembra debe ser realizado "conforme a la voluntad del Padre", y no de cualquier forma. Ese es el propósito de este libro.

EL INVOLUCRAMIENTO DE TODOS LOS CREYENTES

No existe experiencia más dolorosa que la de engañarse a sí mismo. Creer que se llegó a Moscú cuando en realidad se arribó a Lima. Y, a pesar de todas las explicaciones y las advertencias, resistirse a evaluar el camino andado. No hay peor ciego que el que no quiere ver. El peor sordo es el que no desea oír.

Paradojal como pueda parecer, corremos el riesgo de caer en el mismo terreno al tratar de cumplir la misión. Es fácil llegar a la conclusión de que estamos en el camino correcto porque cada año bautizamos miles de nuevos creyentes y los números de las estadísticas aumentan. Pero, si estudiamos el propósito que Jesús tenía en mente al confiarnos la misión, tal vez descubramos la triste realidad de que estamos haciendo lo que humanamente creemos que es mejor y no lo que el Maestro enseñó.

En el Sermón del Monte, Jesús advirtió: "No todo el que me dice: Señor, Señor, entrará en el reino de los cielos, sino el que hace la voluntad de mi Padre que está en los cielos. En aquel día, muchos me dirán: Señor, Señor, ¿no profetizamos en tu nombre, y en tu nombre echamos fuera demonios, y en tu nombre hicimos muchos milagros? Pero yo les diré claramente: Nunca los conocí. ¡Apártense de mí, obreros de la maldad!" (Mateo 7:21-23).

Esta es la triste descripción de la realidad de personas sinceras que hicieron lo que consideraban correcto, y sin embargo se perderán en el día final. Por una simple razón: no hicieron la voluntad del Padre.

NO BASTA CON CORRER

No basta con correr. Es necesario saber por qué se corre. No es suficiente hacer. Hay que saber por qué se hace lo que se hace. En la Biblia, encontramos la historia de alguien que simplemente corrió, sin saber por qué corría.

Absalón había muerto, y alguien debía llevarle la noticia al rey. Dos guerreros recibieron la misión y corrieron al palacio. Uno de ellos era Aimás. Corrió, sudó, se esforzó y llegó. Pero, no sabía por qué había corrido. Pensó que la misión era simplemente correr. Y corrió. Pero, no cumplió la misión. (2 Samuel 18:19-33.)

A estas alturas, conviene hacernos las siguientes preguntas: ¿Cuál es la misión que Jesús nos encomendó? ¿Estamos haciendo la voluntad del Padre? ¿En qué consiste su voluntad al referirnos a la misión?

NO ES SOLO QUE PREDIQUEMOS EL EVANGELIO

Necesitamos entender que Dios no nos dio la misión porque necesite nuestra ayuda. Él es Dios. No conoce imposibles. Si quisiera, el mundo sería evangelizado en un segundo. Podría abrir hoy el mar de dificultades para que toda nación, tribu, lengua y pueblo conociera el mensaje de salvación en un instante, así como abrió el mar Rojo para que el pueblo de Israel pasara.

En cierta ocasión, le dijo a Zorobabel: "Yo no actúo por medio de un ejército, ni por la fuerza, sino por medio de mi espíritu" (Zacarías 4:6). Se engaña a sí mismo quien cree que Dios necesita del ser humano para predicar el evangelio. El Espíritu de Profecía es categórico al afirmar que:

> "Dios podría haber alcanzado su objeto de salvar a los pecadores sin nuestra ayuda" (*DTG* 127).

Si se tratara solo de predicar el evangelio, Dios podría hacerlo sin nuestra ayuda. Pero él nos dio la misión porque nosotros, los creyentes, necesitamos predicar el evangelio para crecer en la vida cristiana.

> "La única forma de crecer en la gracia es estar realizando con todo interés precisamente la obra que Cristo nos ha pedido que hagamos" (*SC* 127)

CON LOS ÁNGELES

Por otro lado, la predicación del evangelio podría llevarse a cabo mediante el ministerio de los ángeles. El autor de la Epístola a los Hebreos pregunta respecto de los ángeles: "¿Y acaso no son todos ellos espíritus ministradores, enviados para servir a quienes serán los herederos de la salvación? (Hebreos 1:14). Los ángeles siempre están dispuestos a servir y podrían predicar el evangelio con una rapidez vertiginosa.

Si se tratara de buscar el método más fácil y rápido de evangelizar el mundo, Dios llamaría a los ángeles. La Sierva de Dios declara que:

> "Dios podría haber proclamado su verdad mediante ángeles inmaculados, pero tal no es su plan" (*HAp* 266).

Se enfatiza este concepto repetidas veces.

> "El ángel enviado a Felipe podría haber efectuado por sí mismo la obra en favor del etíope; pero no es tal el modo que Dios tiene de obrar. Su plan es que los hombres trabajen en beneficio de sus prójimos" (*ibíd.* 90).

Son significativas las expresiones: "Pero este no es su plan" y "No es tal el modo que Dios tiene de obrar". Dios tiene un plan específico para la predicación del evangelio, y en ese plan no están incluidos los ángeles. La iglesia debe cumplir la misión involucrando a cada creyente porque el ser humano necesita hacerlo. Es un asunto de supervivencia espiritual.

> "Dios podría haber alcanzado su objeto de salvar a los pecadores, sin nuestra ayuda; pero, a fin de que podamos desarrollar un carácter como el de Cristo, debemos participar en su obra" (*DTG* 116).

Cualquier método que deje al creyente sentado, observando que los otros cumplan la misión, es ajeno al plan divino.

CON LOS ANIMALES O CON LAS PIEDRAS

Pero, no son solo los ángeles los que podrían predicar el evangelio. En cierta ocasión, Dios tenía un mensaje para Balaam. Cerca de él no había ningún evangelista, ni pastor, ni instructor bíblico. Solo había un asna. Y el texto bíblico relata: "Entonces el Señor hizo que el asna hablara" (Números 22:28). ¿Puede Dios usar hoy a los animales para predicar el evangelio? Podría, si quisiera. No solo a los animales, sino también a las cosas inanimadas. Cuando Jesús estuvo en la Tierra, afirmó: "Si éstos callaran, las piedras clamarían" (Lucas 19:40).

No obstante, el plan divino para la evangelización es otro. Los seres humanos no podemos olvidar el plan divino y crear nuestros propios planes creyendo que de este modo estamos ayudando a Dios. Si lo hacemos, corremos el riesgo de llegar al día final y descubrir que, aunque hicimos muchas cosas buenas, con la mejor de las intenciones, no hicimos la voluntad del Padre.

UNA ILUSTRACIÓN

Imaginemos que yo sea el dueño de una fábrica de bicicletas y deseara probar la resistencia de mi última producción. Reúno entonces a un grupo de empleados y les encargo la misión de llevar la bicicleta de Los Ángeles a Miami por Tierra. Les digo que anoten todos los detalles: la resistencia de los frenos, de los pedales, de las llantas, etc. Me despido de ellos y les digo que los esperaré en Miami.

Tan pronto me retiro, los empleados se reúnen y empiezan a realizar comisiones para estudiar la manera más rápida, económica y fácil de llevar la bicicleta a Miami. Pasan horas y horas analizando cuál es el mejor método de cumplir la misión. Se escriben tesis y se producen libros al respecto. Finalmente, llegan a la conclusión de que lo mejor es llevar la bicicleta por avión. Es la manera más rápida y encontraron una buena oferta de pasaje aéreo.

Al encontrarnos en Miami, allí están ellos, felices. Creen que hicieron un trabajo excelente y esperan que yo los reconozca como empleados fieles. Pero, cuando les solicito el informe de los detalles de resistencia de la bicicleta, se miran unos a otros, y perciben tristemente que no cumplieron la misión. Se sienten frustrados. Gastaron muchas horas de estudios y análisis. Trabajaron mucho para conseguir los recursos. Hicieron lo que consideraban mejor. Desgraciadamente, no cumplieron la misión. No porque no quisieron, sino porque no la entendieron.

EL PLAN DIVINO

¿Cuál es, entonces, el plan divino con relación a la misión? Volvamos a leer la declaración inspirada:

> "Dios podría haber proclamado su verdad mediante ángeles inmaculados, pero tal no es su plan" (*HAp* 266).

Es evidente que Dios tiene un plan para el cumplimiento de su misión. Él sería injusto si nos diera solo la misión pero no nos enseñara la manera de cumplirla. No se trata de inventar el método de hacer lo que él ya nos enseñó cómo hacer. Y él nos enseñó que "...cuando venga sobre ustedes el Espíritu Santo recibirán poder, y serán mis testigos en Jerusalén, en Judea, en Samaria, y hasta lo último de la tierra" (Hechos 1:8).

Ser testigo es atributo de seres humanos. Los animales o las cosas no pueden testificar. Un testigo es una persona que relata lo que ha visto o vivido. Juan dice: "Lo que era desde el principio, lo que hemos oído, lo que hemos visto con nuestros ojos, lo que hemos contemplado, y palparon nuestras manos referente al Verbo de vida; la vida que se ha manifestado, y que nosotros hemos visto y de la que damos testimonio es la que nosotros les anunciamos a ustedes: la vida eterna, la cual estaba con el Padre, y se nos ha manifestado" (1 Juan 1:1, 2).

De modo que cuando Jesús les encomendó la misión a sus discípulos, instantes antes de subir a los cielos, les estaba recordando algo que ya les había enseñado antes de su crucifixión: "Y será predicado este evangelio del reino en todo el mundo, por testimonio a todos los gentiles; y entonces vendrá el fin" (Mateo 24:14).

La expresión clave es "por testimonio". Es un asunto de cada creyente. Un testimonio personal. No corporativo. Y se los recordó después de la resurrección, antes de subir a su Padre.

El Espíritu de Profecía dice al respecto:

> "Cristo se hallaba solamente a pocos pasos del Trono celestial cuando dio su comisión a sus discípulos. Incluyendo como misioneros a todos los que creyeran en su nombre, dijo: 'Id por todo el mundo, predicad el evangelio a toda criatura'. El poder de Dios había de acompañarlos" (*SC* 14).

Nota la expresión: " Incluyendo como misioneros a todos los que creyeran en su nombre". La misión, en la mente de Cristo, no consistía solo en predicar el evangelio, sino hacerlo "incluyendo como misioneros a todos los que creyeran en su nombre".

RESPONSABILIDAD DE CADA CREYENTE

Volvamos ahora a la cita ya mencionada:

> "El ángel enviado a Felipe podría haber efectuado por sí mismo la obra en favor del etíope; pero no es tal el modo que Dios tiene de obrar. Su plan es que los hombres trabajen en beneficio de sus prójimos" (*HAp* 90).

Uno de los primeros conceptos que el Señor nos enseñó con relación al cumplimiento de la misión es que "su plan es que los hombres trabajen en beneficio de sus prójimos". No existe cumplimiento fiel de la misión sin la participación del ser humano. Esta participación puede ser colectiva, pero es mucho más individual.

> "Durante su ministerio, Jesús había mantenido constantemente ante los discípulos el hecho de que ellos habrían de ser uno con él en su obra de rescatar al mundo de la esclavitud del pecado. Cuando envió a los Doce y más tarde a los Setenta a proclamar el Reino de Dios, les estaba enseñando su deber de impartir a otros lo que él les había hecho conocer. En toda su obra, los estaba preparando

para una labor individual, que se extendería a medida que el número de ellos creciese, y finalmente alcanzaría las más apartadas regiones de la Tierra. La última lección que dio a sus seguidores era que se les habían encomendado, para el mundo, las alegres nuevas de la salvación" (*ibíd.* 26).

Hay tres pensamientos que se destacan en esta declaración. El primero es que "en toda su obra, los estaba preparando para una labor individual". El segundo es que esta obra se "extendería a medida que el número de ellos creciese", y el tercero es que esta obra "finalmente alcanzaría las más apartadas regiones de la Tierra". Analicemos estos tres pensamientos.

UNA OBRA INDIVIDUAL

Desde el punto de vista bíblico, la misión que Dios le confió a su iglesia no es apenas una misión corporativa, sino que incluye la participación de todos y cada uno de los creyentes. Jesús nunca imaginó a su iglesia cumpliendo la misión con la participación de apenas unos pocos miembros. Cualquier plan evangelizador que deje al creyente simplemente observando "no es su plan". "No es tal el modo que Dios tiene de obrar". El Maestro lo enseñó con claridad: "Es como cuando alguien deja su casa y se va lejos, y delega autoridad en sus siervos y deja a cada uno una tarea, y ordena al portero mantenerse despierto" (Marcos 13:34).

El concepto es simple. El Señor deja "a cada uno su obra". Esta obra no se puede realizar por procuración o representación. No existe la mínima posibilidad de que yo pueda pagar a alguien para que realice la obra que me fue encomendada.

> "A cada uno se le ha asignado una obra, y nadie puede reemplazarlo. Cada uno tiene una misión de maravillosa importancia, que no puede descuidar o ignorar, pues su cumplimiento implica el bienestar de algún alma; y su descuido, el infortunio de alguien por quien Cristo murió" (*RH,* 12 de diciembre de 1893).

Este es un concepto precioso. Generalmente escribimos muchos libros y predicamos innumerables sermones al respecto. Pero, al momento de entrar en acción, nos olvidamos de las enseñanzas del Maestro. Preferimos levantar los ojos en busca de los métodos más fáciles, económicos y productivos. Y nunca estamos satisfechos con nada. Corremos de un lado a otro en busca del "método de moda" y dejamos de lado los consejos divinos como el siguiente:

> "A todo aquel que se hace partícipe de su gracia, el Señor le señala una obra que hacer por los otros. Cada cual tiene que ocupar su puesto, diciendo: 'Heme aquí, envíame a mí'. Sobre el ministro de la Palabra, sobre el enfermero misionero, sobre el médico cristiano, sobre el cristiano individual, ora sea comerciante o agricultor, profesional o mecánico, sobre todos descansa la responsabilidad. Nuestra tarea es revelar a los hombres el evangelio de su

salvación. Toda empresa en que nos empeñemos debe servirnos de medio para dicho fin" (*MC* 138).

Observa las expresiones "A todo aquel". "Cada cual". "Sobre todos". Este concepto no es presentado una sola vez, o en una sola ocasión. El Espíritu de Profecía repite el mismo concepto una y otra vez. La misión no es apenas corporativa, sino individual.

"Dios espera un servicio personal de cada uno de aquellos a quienes ha confiado el conocimiento de la verdad para este tiempo. No todos pueden salir como misioneros a los países extranjeros, pero todos pueden ser misioneros en su propio ambiente para sus familias y su vecindario" (9*T* 30).

Nadie se puede omitir, o creer que porque colabora financieramente otra persona puede cumplir la misión que le fue asignada a él.

"Se asigna una obra particular a cada cristiano" (*SW*, 2 de agosto, 1904).

EL CRECIMIENTO DE LA IGLESIA SERÍA MÁS RÁPIDO

El resultado de cumplir la misión con la participación individual de cada creyente, como Jesús nos enseñó, sería que la Obra se "extendería a medida que el número de ellos creciese". Las palabras claves aquí son dos verbos: extender y crecer. Ambos denotan expansión, multiplicación y números. La Sierva del

Señor no temía mencionar los números como un índice de crecimiento. Ella decía:

> "Si cada adventista del séptimo día hubiese cumplido su parte, el número de creyentes sería ahora mucho mayor" (3*JT* 293).

Pero, observa que los números son el resultado de seguir el consejo divino, de involucrar a cada miembro en el cumplimiento de la misión. "Si cada adventista del séptimo día hubiese cumplido su parte", dice ella.

Los números no pueden ser la motivación en el cumplimiento de la misión, sino simplemente el resultado de algo maravilloso que ocurre en la vida de cada creyente. Pero los números no son ajenos a las enseñanzas bíblicas. La Biblia se encuentra llena de números; desde el Antiguo Testamento, cuando Israel dejó Egipto: "los israelitas salieron de Ramsés a Sucot. Sin contar mujeres y niños, eran como seiscientos mil hombres de a pie, en edad militar" (Éxodo 12:37); pasando por la experiencia del Pentecostés: "Fue así como los que recibieron su palabra fueron bautizados, y ese día se añadieron como tres mil personas" (Hechos 2:41); y terminando en el cielo: "Miré, y vi que el Cordero estaba de pie sobre el monte de Sión, y que con él había ciento cuarenta y cuatro mil personas, las cuales tenían inscritos en la frente el nombre de él y el de su Padre" (Apocalipsis 14:1); "Después de esto vi aparecer una gran multitud compuesta de todas las naciones, tribus, pueblos y lenguas. Era imposible saber su número. Estaban de pie ante el trono, en presencia del

Cordero, y vestían ropas blancas; en sus manos llevaban ramas de palma" (Apocalipsis 7:9).

Sí. Los números son necesarios. No como fuente de inspiración, ni motivación, sino como evaluadores. Pueden no ser los mejores indicadores, pero nadie ha descubierto todavía mejores que ellos. Si tú me dices que estás perdiendo peso, la pregunta lógica será: ¿Cuántos kilos? Si afirmas que estás creciendo, tendrás que responder cuántos centímetros.

El Espíritu de Profecía dice:

> "Los creyentes tesalonicenses eran verdaderos misioneros. Las verdades presentadas ganaban corazones, y se añadían nuevas almas a los creyentes" (*HAp* 211).

¿Cómo sabemos que los tesalonicenses eran verdaderos misioneros? Porque se añadían nuevas almas a los creyentes. Afirmar que eran verdaderos misioneros sin que aumentasen los números sería incoherente.

En los inicios de nuestra historia, la Sierva de Dios declaró:

> "Los adventistas del séptimo día están haciendo progresos, duplicando su número, estableciendo misiones y desplegando el estandarte de la verdad en los lugares oscuros de la Tierra; todavía, la obra está avanzando en forma mucho más demorada que lo que Dios quiere" (*Historical Sketches,* p. 290, *SC* 97).

¿Cómo se sabía que los adventistas estaban haciendo progresos? Porque duplicaban su número.

Pero los números jamás pueden ser usados como fuente de inspiración, o de presión. No es para compararse uno con el otro y "probar" quién es mejor. Al seguir la manera en que Jesús trabajaba, lo que importa no son los números, sino el hecho de saber que estamos preparando a un pueblo para el encuentro con Jesús.

LA MISIÓN SERÍA CONCLUIDA

Este sería el segundo resultado de seguir el método divino de evangelización, donde la participación de cada creyente es indispensable: "...finalmente alcanzaría las más apartadas regiones de la Tierra". La Sierva de Dios tenía claro este concepto. Eso afirmaba ella a fines del siglo IXX. Y después repitió el concepto al decir que:

> "Si cada uno de vosotros fuera un misionero vivo, el mensaje para este tiempo sería rápidamente proclamado en todos los países, a toda nación, tribu y lengua" (6*T* 438).

Nota que el secreto para la terminación de la obra, según ella, es "si cada adventista" "si cada uno de vosotros".

Hace un tiempo, alguien me preguntó qué planes tiene la iglesia para terminar la misión, porque, según él, estamos "vagando por el desierto como Israel". Esta persona cree que deberíamos aprovechar las redes sociales y la tecnología. Y creo que es así. Debemos aprovechar todos los medios habidos y por haber, pero no podemos olvidar jamás la acción individual de cada creyente buscando personas y llevándolas a Jesús. La testificación personal tiene una velocidad vertiginosa, mucho más extraordinaria de lo que se puede imaginar.

> "El que llega a ser hijo de Dios ha de considerarse como eslabón de la cadena tendida para salvar al mundo. Debe considerarse uno con Cristo en su plan de misericordia, y salir con él a buscar y salvar los perdidos" (*MC* 98).

Este concepto de la cadena es extraordinario. En la mente de Cristo, cada uno debe buscar a uno, y después esos dos deben a hacer la misma cosa. Quiere decir que la multiplicación no sería aritmética, sino geométrica. Si tomáramos apenas 2 millones de los 20 millones de creyentes que somos en el mundo, y lo desafiáramos a cada uno a traer una persona para Cristo, y que cada nuevo creyente hiciera lo mismo, en apenas 12 años habríamos alcanzado a los 7 mil millones que pueblan el planeta. Erramos cuando menospreciamos la posibilidad, el potencial y la eficacia del testimonio personal. No tenemos una mínima idea de lo que significa la multiplicación celular o la energía atómica.

> "...Han de organizarse iglesias y elaborarse planes de trabajo para que los lleven a cabo los miembros de las iglesias recién constituidas. Esta obra misionera evangélica ha de continuar expandiéndose, anexando nuevos territorios y ampliando las

> porciones cultivadas de la viña. El círculo ha de ensancharse hasta circuir el mundo" (*Carta* 86, 1902; *Ev* 19).

Nota que si cada miembro de iglesia fuera involucrado en la misión, y si en cada iglesia se elaborasen planes para que cada creyente se involucrara, el círculo se habría ensanchado hasta circuir el mundo.

TENDENCIA DE SUSTITUIR LO INDIVIDUAL POR LO CORPORATIVO

Creo que los líderes de la iglesia vivimos constantemente preocupados por cumplir la misión. En reuniones ministeriales, se oyen expresiones como estas: "La conferencia tal bautizó tanto", o "La Unión tal alcanzó este año tantos nuevos miembros". Y los miembros, animados, exclaman "amén".

Un líder me dijo un día: "Creo que vamos bien, porque al iniciar el quinquenio bautizábamos 900 almas por año y el último año llegamos a alcanzar casi 5 mil". Después, preguntó: "¿No significa esto que estamos cumpliendo la misión?" Desde el punto de vista humano, tal vez sí. Con toda seguridad, un campo como aquel va a aparecer en las estadísticas como uno de los mejores campos.

¿Qué había hecho aquel campo para crecer de esa manera?

"Invertimos en evangelismo", fue la respuesta.

Y con toda seguridad un líder que tiene la visión de invertir en evangelismo tiene la visión correcta de por qué y para qué existe la iglesia. Solo que la inversión que aquel campo había hecho era contratar un equipo enorme de instructores bíblicos. Eran aproximadamente 300 instructores. Cada uno había llevado al bautismo a 12 personas en promedio, y el resultado había sido sorprendente.

Pero, la pregunta es la siguiente: ¿Estamos cumpliendo de esa forma la misión que Jesús nos dejó?

Tal vez la Sierva de Dios responda mejor esta pregunta:

> "En todas partes se nota una tendencia a reemplazar el esfuerzo individual por la obra de las organizaciones. La sabiduría humana tiende a consolidar, a centralizar, a formar grandes iglesias e instituciones. Muchos dejan a las instituciones y las organizaciones la tarea de practicar la beneficencia; se eximen del contacto con el mundo, y sus corazones se enfrían. Se absorben en sí mismos incapacitándose para recibir impresiones. El amor a Dios y a los hombres desaparece de su alma. Cristo encomienda a sus discípulos una obra individual, una obra que no se puede delegar... El servir a los enfermos y a los pobres, el predicar el evangelio a los perdidos, no debe ser dejado al cuidado de juntas y organizaciones... Es la responsabilidad individual, el esfuerzo personal, el sacrificio propio, lo que exige el evangelio" (*MC* 137).

Según esta declaración, un cuerpo de instructores bíblicos no puede sustituir el trabajo individual de cada creyente. Que cada uno haga algo es la base de *Todo miembro, involucrado*.

En ese mismo campo, conocí por lo menos a tres personas que dan abundante cantidad de recursos financieros para pagar a los instructores, pero que no se involucran personalmente en la misión de buscar almas para Cristo. Sin duda es extraordinario lo que hacen. Son personas que aman a Dios y a su iglesia, porque donde está tu tesoro está tu corazón. Pero, en la mente divina, "es la responsabilidad individual lo que exige el evangelio".

Surge, entonces, la pregunta lógica: ¿Por qué la misión debe ser individual? Esta es la pregunta que será respondida en el siguiente capítulo.

TMI **Todo miembro, involucrado** habla sobre el compromiso personal. Trata sobre encontrar una necesidad en la comunidad y suplir esa necesidad. Aquí se encuentran algunas ideas prácticas para involucrarse personalmente:

1. Cocina una comida para tu vecino o tu compañero de trabajo que haya estado enfermo.
2. Da de comer a una persona que no tenga hogar.
3. Dona ropa en condiciones en las que te gustaría que te donen.

CAPÍTULO 2

UNA NECESIDAD ESPIRITUAL

¿Por qué la Biblia y el Espíritu de Profecía enfatizan tanto la participación de todos los creyentes? Esto es vital para entender la misión desde la perspectiva divina. La razón no es que Dios necesite de nosotros para terminar su obra. Somos nosotros los que necesitamos participar de la misión a fin de crecer espiritualmente y prepararnos para el encuentro con Jesucristo cuando él regrese.

Pablo escribió a los efesios: "Por lo tanto, echen mano de toda la armadura de Dios para que, cuando llegue el día malo, puedan resistir hasta el fin y permanecer firmes" (Efesios 6:13). El apóstol menciona dos acontecimientos de suma importancia: el "fin" y el "día malo". Evidentemente, el fin se refiere a la segunda venida de Jesús.

DOS GRUPOS

Cuando Cristo vuelva, solo habrá dos grupos. Los redimidos alzarán las manos al cielo y exclamarán: "¡Éste es nuestro Dios! ¡Éste es el Señor, a quien hemos esperado! ¡Él nos salvará! ¡Nos regocijaremos y nos alegraremos en su salvación!" (Isaías 25:9).

En contraste con este momento de júbilo, Juan describe la experiencia del segundo grupo de forma dramática: "Yo vi cuando el Cordero abrió el sexto sello, y entonces se produjo un gran terremoto. El sol se cubrió de oscuridad, como con un vestido de luto, y la luna entera se puso roja como la sangre; las estrellas del cielo cayeron sobre la tierra, como caen los higos cuando un fuerte viento sacude la higuera. El cielo se esfumó, como si fuera un pergamino que se enrolla, y todos los montes y las islas fueron removidos de su lugar. Todos se escondieron en las cuevas y entre las grietas de los montes: lo mismo los reyes de la tierra que los príncipes, los ricos, los capitanes y los poderosos; lo mismo los esclavos que los libres; y decían a los montes y a las peñas: ¡Caigan sobre nosotros! ¡No dejen que nos mire el que está sentado sobre el trono! ¡Escóndannos de la ira del Cordero! El gran día de su ira ha llegado; ¿y quién podrá mantenerse en pie?" (Apocalipsis 6:12-17).

EL SUEÑO DIVINO

El sueño divino es que todos formen parte del primer grupo. Dios no desea que ninguno se pierda: "...yo no quiero que ninguno de ustedes muera..." (Ezequiel 18:32), dice el Señor. Jesús desea encontrar a su pueblo preparado para encontrarse con él. Por ese motivo dejó todo en el cielo y vino a morir en esta Tierra. Pablo afirma que "...Cristo amó a la iglesia, y se entregó a sí mismo por ella, para santificarla. Él la purificó en el lavamiento del agua por la palabra, a fin de presentársela a sí mismo como una iglesia gloriosa, santa e intachable, sin mancha ni arruga ni nada semejante" (Efesios 5:25-27).

El sueño divino es que cuando Jesús regrese encuentre esa iglesia "gloriosa, santa e intachable, sin mancha ni arruga ni nada semejante". En la Biblia encontramos descrito, muchas veces, el sueño de Dios. Imagínalo cerrando los ojos y preguntándose a sí mismo: "¿Quién es esta que se muestra como el alba, hermosa como la luna, esclarecida como el sol, imponente, como ejércitos en orden?" (Cantares 6:10). Esa es la iglesia que refleja su carácter.

¡El sueño divino! Un pueblo preparado, una iglesia gloriosa y sin mancha, hermosa como la luna, esclarecida como el sol, reflejando su carácter; seres humanos capaces de escuchar la voz dulce del Padre diciendo: "Levántate, resplandece; porque ha venido tu luz, y la gloria de Jehová ha nacido sobre ti. Porque he aquí que tinieblas cubrirán la tierra, y oscuridad las naciones; mas sobre ti amanecerá Jehová, y sobre ti será vista su gloria. Y andarán las naciones a tu luz, y los reyes al resplandor de tu nacimiento" (Isaías 60:1-3).

El ideal de Dios para su iglesia es una iglesia gloriosa, sin arruga y sin mancha, como una novia vestida de blanco esperando a su novio. Una iglesia auténtica, sin formalismos, que no viva solo preocupada por la apariencia, "no sirviendo al ojo, como los que quieren agradar a los hombres, sino como siervos de Cristo, de corazón haciendo la voluntad de Dios; sirviendo de buena voluntad, como al Señor y no a los hombres" (Efesios 6:6, 7).

Pero ¿a qué se refiere Pablo al mencionar una iglesia gloriosa? Evidentemente, es gloriosa porque refleja la gloria de Dios. Y ¿qué es la gloria de Dios? El Espíritu de Profecía responde esta pregunta de la siguiente manera:

> "Orad con Moisés: 'Muéstrame tu gloria'. ¿Qué es esta gloria? El carácter de Dios" (*TM* 508).

El pecado desfiguró el carácter de Dios en el ser humano. Hoy somos apenas una caricatura de Dios, pero el Señor espera que su iglesia vuelva a reflejar su carácter. Jesús vino a este mundo para restaurar la gloria perdida y reproducir en el ser humano el carácter del Padre. Dejó todo en el cielo y vino a este mundo de miseria y dolor a pagar el precio de nuestra restauración. Por eso:

> "Cristo espera con un deseo anhelante la manifestación de sí mismo en su iglesia. Cuando el carácter de Cristo sea perfectamente reproducido en su pueblo, entonces vendrá él para reclamarlos como suyos" (*EJ* 269).

A la luz de esta declaración, el Señor Jesús espera pacientemente que la iglesia refleje su carácter, para volver y llevarla consigo.

Sin embargo, antes de la aparición gloriosa de Jesús, vendrá el día malo y, según Pablo, muchos no resistirán los vendavales de este día. Por eso, él aconseja: "Echen mano de toda la armadura de Dios". Después, a partir del versículo 14, describe la "armadura divina". "Por tanto, manténganse firmes y fajados con el cinturón de la verdad, revestidos con la coraza de justicia, y con los pies calzados con la disposición a predicar el evangelio de la paz. Además de todo esto, protéjanse con el escudo de la fe, para que puedan apagar todas las flechas incendiarias del maligno. Cúbranse con el casco de la salvación, y esgriman la espada del Espíritu, que es la palabra de Dios. Oren en todo tiempo con toda oración y súplica en el Espíritu, y manténganse atentos, siempre orando por todos los santos".

Son siete los instrumentos que forman parte de la armadura de Dios. Consideraremos apenas tres de ellos, en los cuales se requiere la participación del creyente: el estudio de la Biblia, la oración y la disposición a predicar el evangelio de la paz.

INSTRUMENTOS DE CRECIMIENTO ESPIRITUAL

Dejaremos los dos primeros para ser considerados en capítulos posteriores. Vamos a concentrarnos en el tercero: la misión de buscar a otras personas y conducirlas a Jesús. Entenderemos, así, la razón del énfasis divino en la misión individual del creyente.

El sueño divino no consiste apenas en que el evangelio sea predicado a toda nación, tribu, lengua y pueblo, sino que los redimidos formen parte de la iglesia gloriosa que refleje su carácter y esté lista para encontrarse con Jesús. La misión es apenas uno de los instrumentos para edificar esa iglesia.

> "Dios podría haber alcanzado su objeto de salvar a los pecadores sin nuestra ayuda; pero, a fin de que podamos desarrollar un carácter como el de Cristo, debemos participar en su obra" (*DTG* 117).

Es necesario resaltar la importancia de este concepto. "A fin de que podamos desarrollar un carácter como el de Cristo, debemos participar en su obra". El creyente necesita participar de la misión porque la testificación es parte de una vida cristiana saludable. La Sierva del Señor dice que:

> "Solo cuando nos entregamos a Dios para que nos emplee en el servicio de la humanidad nos hacemos partícipes de su gloria y carácter" (*ATO* 171).

No existe otro modo de hacerlo. Limitar la vida cristina a la oración y al estudio de la Biblia, sin participar de la misión, es una experiencia engañosa y vacía. No pasa de misticismo barato. Hablando del peligro de transformar la vida cristiana en una experiencia mística, el Espíritu de Profecía enseña que:

> "Este período no ha de usarse en una devoción abstracta. El esperar, velar y ejercer un trabajo vigilante han de combinarse" (*SC* 107).

EL EJEMPLO DE LA IGLESIA PRIMITIVA

La iglesia primitiva entendió correctamente la misión y dio énfasis a la participación individual de cada creyente. La misión, para los primeros cristianos, no era solo el trabajo de los líderes, sino de todos y cada uno. Cada cristiano vivía empeñado en conducir alguien a Cristo, por amor a Jesús, y para crecer en su experiencia cristiana. Ellos sabían que no existe crecimiento sin testificación. La testificación personal no depende de tener don, o no. Dios distribuyó dones a sus hijos "para la edificación del cuerpo de Cristo" (Efesios 4:11, 12), dice Pablo; pero la testificación personal no es un don sino una necesidad espiritual, como la oración, o como el estudio diario de la Biblia.

Este concepto estaba bien claro en la iglesia primitiva. "En aquel día hubo una gran persecución contra la iglesia que estaba en Jerusalén, y todos, salvo los apóstoles, fueron esparcidos por las tierras de Judea y de Samaria. Pero los que fueron esparcidos iban por todas partes anunciando el evangelio" (Hechos 8:1, 4). Observa lo que afirma este relato: "todos, salvo los apóstoles, fueron esparcidos"; y después, "pero los que fueron esparcidos iban por todas partes anunciando el evangelio".

Los que anunciaban el evangelio no eran solo los apóstoles, sino los que habían sido esparcidos. ¿Quiénes eran estos? Todos los creyentes. Desde el punto de vista divino, la misión de traer personas para Cristo corresponde a cada cristiano. Eso es lo que dice el Espíritu de Profecía:

> "El humilde y consagrado creyente sobre quien el Señor de la viña deposita preocupación por las almas debe ser animado por los hombres a quienes Dios ha confiado mayores responsabilidades" (*HAp* 90, 91).

¿Quién es el "humilde y consagrado creyente"? ¡El miembro de iglesia! El Señor ha depositado la preocupación por las almas sobre el creyente. ¿Por qué? Porque este necesita crecer espiritualmente. Finalmente, él formará parte de la iglesia gloriosa que Jesús viene a buscar. Y no crecerá si no participa de la misión.

> "La única forma de crecer en la gracia es estar realizando con todo interés precisamente la obra que Cristo nos ha pedido que hagamos" (*SC* 27).

Si yo, como ministro, al cumplir la misión, dejó de lado a la iglesia, demuestro que no entendí "la voluntad del Señor". Si, en mi afán de alcanzar mis metas y blancos, utilizo cualquier método que deje al creyente simplemente de observador, estoy condenando a mis ovejas a la perdición, y un día Dios cobrará la sangre de ellas de mis manos.

Pude haber sido sincero en lo que hacía, pero no hice lo que Dios enseñó. Me olvidé de preparar a la iglesia gloriosa, santa, pura y sin mancha.

EL TRABAJO DE LOS MINISTROS

"El humilde y consagrado creyente", dice el texto, debe ser animado, por los "hombres a quienes Dios ha confiado mayores responsabilidades". ¿Quiénes son esos hombres? Los ministros. El trabajo del ministro no es, en primer lugar, traer a las personas a Cristo. Ese trabajo, en el plan divino, debe ser cumplido por cada creyente.

> "Cuando trabaje donde ya haya algunos creyentes, el predicador debe, primero, no tanto tratar de convertir a los no creyentes como preparar a los miembros de la iglesia para que presten una cooperación aceptable. Trabaje él por ellos individualmente, esforzándose por inducirlos... a trabajar por otros" (*OE* 206).

El pastor jamás debe realizar el trabajo que le pertenece a la iglesia. Su misión es otra.

> "La predicación es una pequeña parte de la obra que ha de ser hecha por la salvación de las almas. El Espíritu de Dios convence a los pecadores de la verdad, y los pone en los brazos de la iglesia. Los predicadores pueden hacer su parte, pero no pueden nunca realizar la obra que la iglesia debe hacer" (1*JT* 456).

Este mensaje se dirige a los pastores y se refiere a la predicación desde el púlpito. Menciona a la predicación, como "una pequeña parte de la obra que ha de ser hecha por la salvación de las almas". Pero es Dios el que realiza el trabajo. ¿Cómo? Poniendo a las personas en los brazos de la iglesia. Y concluye: "los predicadores no pueden nunca realizar la obra que la iglesia debe hacer". No es necesario explicar que cuando se menciona a la iglesia no se está hablando de la iglesia institución sino de cada uno y todos los creyentes.

El trabajo del ministro es preparar, educar, enseñar, concientizar, organizar, inspirar y equipar a los creyentes, para que cumplan su deber. Ellos necesitan hacerlo. Ese es el medio creado por Dios para reproducir en ellos el carácter de Jesucristo y hacerles reflejar su gloria. Si el cristiano no se involucra en la misión, está condenado a la muerte espiritual; como un niño que no se mueve, en poco tiempo se atrofia, y muere.

EL EJEMPLO DE LOS TESALONICENSES

Pablo escribió, respecto de los tesalonicenses, lo siguiente: "Porque partiendo de vosotros ha sido divulgada la palabra del Señor, no solo en Macedonia y Acaya, sino también en todo lugar vuestra fe en Dios se ha extendido, de modo que nosotros no tenemos necesidad de hablar nada" (1 Tesalonicenses 1:8).

Es impresionante la conciencia misionera de los tesalonicenses. Pablo les había llevado la palabra de Dios, y les había enseñado que a fin de crecer en la experiencia cristiana debían conducir personas a Cristo. Y los tesalonicenses tomaron esto tan a serio que Pablo dice: "Nosotros ya no tenemos necesidad de hablar nada, porque ustedes están cumpliendo la misión". ¿No es esto maravilloso? Sin duda, Pablo era un excelente pastor. Enseñaba a la iglesia a testificar, y la iglesia era una excelente iglesia. Asumía su responsabilidad misionera.

El Espíritu de Profecía reafirma este concepto:

> "El apóstol Pablo sentía que era responsable en gran medida del bienestar espiritual de aquellos que se convertían por sus labores. Deseaba que crecieran en el conocimiento del único Dios verdadero y de Jesucristo, a quien había enviado. A menudo, en su ministerio, se encontraba con pequeños grupos de hombres y mujeres que amaban a Jesús, y se postraba en oración con ellos para pedir a Dios que les enseñara cómo mantener una relación vital con él. A menudo se reunía en consejo con ellos a fin de estudiar los mejores métodos para dar a otros la luz de la verdad evangélica. Y a menudo, cuando estaba separado de aquellos con quienes había trabajado así, suplicaba a Dios que los guardara del mal, y los ayudara a ser misioneros fervientes y activos" (*HAp* 212, 213).

Nota que Pablo era consciente de que la única manera de que los nuevos creyentes permanecieran fieles era compartiendo su fe. Observa lo que él hacía. Primero, "Pablo sentía que era responsable en gran medida del bienestar espiritual de aquellos que se convertían por sus labores". Y segundo, "deseaba que crecieran en el conocimiento del único Dios verdadero".

Estas dos preocupaciones tenían que ver con la preparación de la iglesia gloriosa de Jesús, y lo llevaban a postrarse en oración con ellos para pedir a Dios que les enseñara cómo mantener una relación vital con él. Y ¿cómo se mantenía esa relación vital? Primero, "se reunía en consejo con ellos a fin de estudiar los mejores métodos para dar a otros la luz de la verdad". Y segundo, "cuando estaba separado de aquellos con quienes había trabajado así, suplicaba a Dios que los guardara del mal, y los ayudara a ser misioneros fervientes y activos". Pablo sabía que un cristiano que no ora, no estudia la Biblia y no trae personas a Cristo no crece y camina peligrosamente hacia la autodestrucción.

FORTALECER LA FE

La misión, en la mente divina, es no solo un instrumento de crecimiento del creyente sino también de fortalecimiento espiritual. La Sierva de Dios declara:

"Debe hacerse obra bien organizada en la iglesia, para que sus miembros sepan cómo impartir la luz a otros, y así fortalecer su propia fe y aumentar su conocimiento. Mientras impartan aquello que recibieron de Dios, serán confirmados en la fe. Una iglesia que trabaja es una iglesia viva" (*SC* 93).

Observa la relación entre "el impartir la luz a otros" y el "fortalecimiento de la propia fe". Una iglesia que trabaja siempre será una iglesia viva.

¿No es ese el sueño divino?

TMI **Todo miembro, involucrado** significa compartir las buenas nuevas de la salvación en Jesús. Estas son algunas ideas para involucrarse personalmente:

1. Entrega a alguien un estudio bíblico.
2. Ofrécete como voluntario para una exposición acerca de salud.
3. Organiza consultas de salud gratuitas para la comunidad.

EL DISCIPULADO

NO PODEMOS HABLAR DEL DISCIPULADO SIN hablar de Jesús. Él hizo discípulos y nos dio la orden de hacer lo mismo. Antes de realizar milagros o predicar, hizo discípulos. El primer día de su ministerio llamó a Juan, Andrés y Pedro. Al siguiente día, a Felipe y Natanael; y al tercer día, en las bodas en Caná, estaban presentes Jesús y sus discípulos.

Jesús comenzó su ministerio formando discípulos. No buscó apenas creyentes, o miembros de iglesia. Buscó seguidores que lo dejaran todo y se comprometieran con él.

QUÉ ES SER UN DISCÍPULO

No es lo mismo que ser un creyente. El creyente cree, asiste a la iglesia, canta, devuelve el diezmo, y nada más. El discípulo, además de creer, sigue a Jesús, se compromete con él y forma nuevos discípulos.

En los tiempos de Jesús, el maestro y los discípulos vivían juntos. La formación del discípulo no consistía solo en presentar una serie de estudios bíblicos a un grupo de alumnos. Requería la convivencia diaria del maestro con sus discípulos. Andando, trabajando, comiendo; en definitiva, viviendo juntos.

"En la educación de sus discípulos, el Salvador siguió el sistema de educación establecido al principio. Los primeros doce escogidos, junto con unos pocos que, por el alivio de sus necesidades, estaban de vez en cuando en relación con ellos, formaban la familia de Jesús. Estaban con él en la casa, a la mesa, en el retiro, en el campo. Lo acompañaban en sus viajes, compartían sus pruebas y tareas, y hasta donde podían tomaban parte en su trabajo… A veces les enseñaba cuando estaban sentados en la ladera de la montaña; a veces, junto al mar o desde la barca de un pescador; otras, cuando iban por el camino. Cada vez que hablaba a la multitud, los discípulos formaban el círculo más cercano a él. Se agolpaban en torno a él para no perder nada de su instrucción. Eran oidores atentos, anhelosos de comprender las verdades que debían enseñar en todos los países y a todas las edades" (*Ed* 80, 81).

DISCÍPULOS Y DISCÍPULOS LÍDERES

Sin embargo, el Nuevo Testamento, al hablar de los discípulos, se refiere a dos clases de seguidores: los discípulos y los discípulos líderes. Jesús, por ejemplo, escogió doce discípulos a quienes formó para establecer su iglesia. Fue un grupo selecto de personas que instruyó y formó personalmente. Necesitó tres años para hacerlo. Pero, al morir, ellos estaban listos para cumplir la misión de establecer su iglesia.

No obstante, el término discípulo se refiere también a todos los seguidores de Jesús en general. No únicamente a los discípulos líderes. De manera que la expresión discípulo se aplica a los alumnos de un maestro en una relación de instructor-aprendiz como lo hizo Jesús con los Doce; o a todos los que aceptan el evangelio y siguen a Jesús. En los tiempos de Cristo, además de los Doce, había otros seguidores de Jesús, entre los cuales, por ejemplo, estaban los discípulos que se encontraron con Jesús después de la resurrección, camino de Emaús; o el grupo de mujeres seguidoras.

SEGUIR AL CORDERO

El apóstol Juan describe la escena de los redimidos en el cielo: "Estos son los que siguen al Cordero por dondequiera que va. Fueron redimidos de entre toda la gente como los primeros frutos para Dios y para el Cordero" (Apocalipsis 14:4). De acuerdo con este versículo, los redimidos tienen la principal característica de ser seguidores del Cordero. Son discípulos del Cordero. Pero ¿cómo podrán seguir al Cordero en el cielo si no aprendieron a seguirlo en la Tierra?

En este libro usaremos la palabra discípulo para referirnos a la persona que acepa a Jesús y se dispone a seguirlo hasta el fin, formando otros discípulos en el camino. Formar a un discípulo no es fácil. La mayoría de los creyentes se limita a ser una especie de miembro de algún club religioso que se reúne los sábados para disfrutar de un buen programa espiritual, y nada más. Pero, no es un asunto de falta de voluntad. Creo, más bien, que se debe a la incomprensión de la orden divina.

LA ORDEN

La orden que nos dio el Maestro no se limita a predicar el evangelio y bautizar, sino principalmente a hacer discípulos.

"Por tanto, vayan y hagan discípulos en todas las naciones, y bautícenlos en el nombre del Padre, y del Hijo, y del Espíritu Santo. Enséñenles a cumplir todas las cosas que les he mandado. Y yo estaré con ustedes todos los días, hasta el fin del mundo" (Mateo 28:19, 20).

La mayoría de los eruditos considera que el verbo imperativo de este texto es el verbo "hacer". Los otros verbos del texto giran en torno de la orden divina de "hacer discípulos". Ir, bautizar y enseñar indicarían la manera de cumplir la orden de "hacer discípulos".

No se hace un discípulo en una campaña de evangelismo, o con la simple exposición de estudios bíblicos. Tampoco se hace discípulos en una semana, o un mes. Requiere tiempo y convivencia. El discípulo es un ser en permanente crecimiento, y el crecimiento no es un evento sino un proceso.

EL SELLO DEL MAESTRO

Una de las principales características del discípulo es que lleva el sello de su Maestro, o discipulador. Jesús lo dijo: "Al discípulo debe bastarle con ser como su maestro, y al siervo como su señor" (Mateo 10:25). En el Nuevo Testamento encontramos 260 veces la palabra discípulo. En muchas de ellas se expresa la idea del discípulo como seguidor e imitador de su maestro.

Cuando Jesús llamó a sus discípulos, lo hizo para que fueran como él. El verdadero discípulo es como su Maestro, y hace lo que su Maestro hace. Pablo llegó a ser un discípulo de Cristo, y después escribió a los corintios: "Imítenme a mí, así como yo imito a Cristo" (1 Corintios 11:1). Y a los filipenses: "Hermanos, sean ustedes imitadores de mí... según el ejemplo que ustedes tienen de nosotros" (Filipenses 3:17).

Para que Pablo se atreviera a hacer semejante declaración, tenía una convicción: "...ya no vivo yo, sino que Cristo vive en mí". (Gálatas 2:20). Y ¿cómo llegó Pablo a esa experiencia? A través del compañerismo diario con Jesús. No era un compañerismo corporal como lo habían tenido los primeros Doce, sino el mismo compañerismo diario que nosotros podemos cultivar con Jesús aunque no lo veamos con los ojos físicos. "Por lo tanto, todos nosotros, que miramos la gloria del Señor a cara descubierta, como en un espejo, somos transformados de gloria en gloria en la misma imagen, como por el Espíritu del Señor" (2 Corintios 3:18).

El discípulo vive una experiencia diaria de transformación. Una experiencia que no se limita a la emoción, sino que es práctica. Involucra el estudio diario de la Biblia, la oración constante y la testificación. Testificar es formar a otro discípulo. Cuando esa experiencia de comunión diaria con Cristo llega a ser una realidad, sucede lo que el Espíritu de Profecía dice:

> "Al someternos a Cristo, nuestro corazón se une al suyo, nuestra voluntad se fusiona con su voluntad, nuestra mentalidad se vuelve una con la de él. Nuestros pensamientos serán llevados cautivos a él; vivimos su vida... cuando el propio yo es sometido a Cristo, el verdadero amor brota espontáneamente. No es una emoción o un impulso sino la decisión de una voluntad santificada" (1*MCP* 171).

Entonces, y solo entonces, se hará una realidad el sueño divino de ver a su iglesia iluminando al mundo con la gloria del Señor, porque:

> "El mundo necesita evidencias de sincero cristianismo. Una profesión de cristianismo puede verse por doquiera, pero cuando el poder de la gracia de Dios se vea en nuestras iglesias los miembros realizarán las obras de Cristo. Los rasgos de carácter naturales y hereditarios serán transformados. Al morar en ellos, su Espíritu los capacitará para que revelen la semejanza de Cristo, y el éxito de su obra estará en proporción con la pureza de su piedad" (*TM* 350).

ESTAR CON CRISTO

Por esta razón, cuando Jesús llamó a sus primeros discípulos, "los designó para que estuvieran con él, para enviarlos a predicar" (Marcos 3:14). Nota los dos desafíos del discípulo. Primero, estar con su Maestro; y después, predicar. Primero, ser; después, hacer. Al estar con el Maestro, el carácter de Jesús se reproduciría en el discípulo, y las personas verían la gloria, el carácter de Jesús, en la vida de sus discípulos. Entonces, el cumplimiento de la misión no consistiría en la simple exposición de un cuerpo doctrinario sino en la revelación del carácter de Jesús al mundo.

> "El último mensaje de clemencia que ha de darse al mundo es una revelación de su carácter de amor. Los hijos de Dios han de manifestar su gloria. En su vida y su carácter han de revelar lo que la gracia de Dios ha hecho por ellos" (*PVGM* 342).

Esa es la verdadera misión.

"Debemos salir a proclamar la bondad de Dios y a poner de manifiesto su verdadero carácter ante la gente. Debemos reflejar su gloria. ¿Hemos hecho esto en el pasado? ¿Hemos revelado el carácter de nuestro Señor por precepto y ejemplo?" (*FO* 62).

Naturalmente, "revelar el carácter de Jesús" no es exponer una simple teoría. Las personas necesitan ver a Jesús en la vida de sus discípulos. Ellos son la sal de la Tierra. La sal no hace nada para darles sabor a los alimentos. Simplemente, es sal. Ellos son la luz del mundo. La luz no necesita hacer nada para alumbrar; solo tiene que ser luz. Por eso, los discípulos:

"Tenemos el deber de reflejar el carácter de Jesús. Deberíamos dejar que la hermosa imagen de Jesús aparezca en todas partes, sea que estemos en la iglesia, en nuestros hogares, o en alguna reunión social con nuestros vecinos" (*ST* 18 de agosto, 1887).

CÓMO SE FORMARON LOS PRIMEROS DISCÍPULOS

La pregunta que debemos responder a esta altura es la siguiente: ¿Cómo se forma a un seguidor de Cristo? ¿Cómo se hace discípulos? Veamos las instrucciones de Jesús. "Por tanto, vayan y hagan discípulos en todas las naciones, y bautícenlos en el nombre del Padre, y del Hijo, y del Espíritu Santo. Enséñenles a cumplir todas las cosas que les he mandado. Y yo estaré con ustedes todos los días, hasta el fin del mundo" (Mateo 28:19, 20).

Este texto presenta tres acciones indispensables en la formación de un discípulo: Buscar, bautizar y enseñar. Todo esto demanda tiempo. No se busca en un minuto. Buscar requiere paciencia. Tampoco se enseña en un día. La enseñanza es un proceso. Tiene inicio pero no fin. Un discípulo nunca termina de formarse. Vive en permanente desarrollo. Pablo decía que él mismo no pretendía haberlo alcanzado.

Cuando Jesús formó a sus primeros discípulos, nos enseñó algo que no debemos olvidar. Los nuevos discípulos, después de encontrarse con el Maestro, salieron a "buscar". Cada uno partió en busca de otra persona para traerla a Jesús. Observa la dinámica de la testificación presentada por Juan: "El siguiente día otra vez estaba Juan, y dos de sus discípulos. Y mirando a Jesús que andaba por allí, dijo: He aquí el Cordero de Dios" (Juan 1:35, 36).

NO HAY DISCIPULADO CRISTIANO SIN CRISTO

Nota que Juan el Bautista exalta a Jesús. No existe discipulado cristiano sin Cristo. Jesús dijo: "Y cuando yo sea levantado de la tierra, atraeré a todos a mí mismo" (Juan 12:32). Si deseas formar a un discípulo, lo primero que necesitas hacer es que la persona se enamore de Jesús. Y, ¿cuál fue el resultado de la actitud de Juan? "Le oyeron hablar los dos discípulos y siguieron a Jesús" (Juan 1:37).

"Seguirlo" será siempre el resultado de exaltar al Señor. Cuando Jesús es exaltado delante de los hombres, nadie resiste. Hay, en el Maestro de Galilea, una atracción maravillosa que derrite los corazones. Nadie discute, ni argumenta. Las personas simplemente caen a sus pies y lo aceptan como su Salvador.

Eso fue lo que hicieron los discípulos de Juan: lo siguieron, y se quedaron con Jesús. Ellos nacieron en el Reino de Dios. Descubrieron el amor de su vida y no pudieron permanecer callados; necesitaron compartir su descubrimiento haciendo otros discípulos.

¿Por qué? La razón es simple:

> "Cada verdadero discípulo nace en el Reino de Dios como misionero. El que bebe del Agua viva llega a ser una fuente de vida. El que recibe, llega a ser un dador. La gracia de Cristo en el alma es como un manantial en el desierto, cuyas aguas surgen para refrescar a todos y hace, a los que están por perecer, ávidos de beber el agua de la vida" (*DTG* 162).

Un misionero es aquel que cumple la misión. Este es "el verdadero discípulo". No puede permanecer en silencio; necesita compartir a Jesús.

El texto bíblico continúa relatando que "Andrés, hermano de Simón Pedro, era uno de los dos que habían oído a Juan, y habían seguido a Jesús. Éste halló primero a su hermano Simón, y le dijo: Hemos hallado al Mesías, que traducido es, el Cristo" (Juan 1:40-43). Andrés halló primero a Pedro. El verbo clave es "hallar". No puedes hallar lo que no buscas. Andrés buscó a Pedro. La maravilla de su descubrimiento fue tan grande que no pudo permanecer callado. Salió a buscar a otro para transformarlo en discípulo de Jesús. ¿A quién podría buscar? Andrés buscó a Pedro. Pedro, además de ser su hermano, era su colega de trabajo. Ambos eran pescadores. Está probado que el testimonio de un conocido es más efectivo que el de un desconocido. Ese era el plan del discipulado en la mente de Cristo.

CUMPLIR LA MISIÓN NO ES HACER PROSELITISMO

No es intentar que las personas salgan de su iglesia y vengan a la nuestra. No es llevar a las personas a cambiar de religión, sino de vida. Estar en la iglesia es un resultado natural de haber cambiado de vida. Las personas que un día estaban con la vida y el hogar destruidos, que no sabían qué hacer ni a dónde ir, que pasaban noches enteras sin dormir por causa del vacío interior, y un día se encuentran con Jesús, no pueden permanecer en silencio. Salen y cuentan lo que sucedió con ellas. Es una compulsión nacida del amor, una motivación que brota de una nueva perspectiva de la vida.

El relato bíblico nos enseña la forma en que Dios quería evangelizar al mundo. Si hubiésemos seguido el ejemplo bíblico, el mundo ya estaría evangelizado. Toda tribu, lengua y pueblo ya conocería el plan de salvación, y Jesús ya habría regresado. No estaríamos más peregrinando por este mundo de dolor y muerte.

> "Si el propósito de Dios de dar al mundo el mensaje de misericordia hubiese sido llevado a cabo por su pueblo, Cristo habría venido ya a la Tierra, y los santos habrían recibido su bienvenida en la ciudad de Dios" (3*JT* 72).

TRAERLOS A JESÚS

La misión del cristiano es traer potenciales discípulos a Jesús. El Señor de la salvación toca los corazones y convierte a las personas. Pero tiene que haber un Andrés, consciente de su misión, que busque a un Pedro y lo lleve a Jesús.

> "En su sabiduría, el Señor pone a los que buscan la verdad en relación con semejantes suyos que conocen la verdad. Es plan del Cielo que los que han recibido la luz la impartan a los que están todavía en tinieblas" (*HAp* 109).

El texto bíblico sigue relatando lo que sucedió cuando Andrés condujo a Pedro a Jesús. "Y le trajo a Jesús. Y mirándole Jesús, dijo: Tú eres Simón, hijo de Jonás; tú serás llamado Cefas, que quiere decir, Pedro" (Juan 1:42). En una sola frase, el Señor describe el pasado, el presente y el futuro de Pedro. Yo conozco tus raíces, le dice: "Tú eres hijo de Jonás". Pero también conozco tu presente: "Tú eres Simón". Sin embargo, lo que realmente importa es lo que llegarás a ser, transformado por mi gracia: "Tú serás llamado Cefas, que quiere decir Pedro".

Aquel encuentro con Jesús cambió la vida de Pedro. El hermano de Andrés salió de allí con el corazón explosionando de felicidad; con una nueva visión de la vida y deseoso de contar a otros lo que Jesús había hecho en su vida. Y ¿qué hizo? ¿Buscó a una persona extraña para contarle su maravilloso encuentro con Jesús? No. A las personas extrañas difícilmente les interesa lo que ocurre en la vida de desconocidos. Cada uno está ocupado con sus propios problemas.

Pedro no buscó a un extraño. El texto no lo dice explícitamente, pero el contexto sí. "El siguiente día quiso Jesús ir a Galilea, y halló a Felipe, y le dijo: Sígueme. Y Felipe era de Betsaida, la ciudad de Andrés y Pedro". Esta última frase lo explica todo. "Felipe era de Betsaida, la ciudad de Andrés y Pedro". ¿Por qué piensas que esa frase está allí? ¿Qué es lo que Juan quiso decir?

Betsaida era una región pequeña. Y en los alrededores de Betsaida estaba Capernaúm, que también era una ciudad pequeña. En las ciudades pequeñas, todos se conocen. Pedro y Felipe eran vecinos. Y ¿qué hacen las personas que aceptan a Jesús como su Salvador?

> "En el círculo de la familia, en los hogares de nuestros vecinos, al lado de los enfermos, muy quedamente podemos leer las Escrituras, y decir una palabra en favor de Jesús y la verdad" (3*JT* 61, 62).

Entonces, Pedro buscó a su vecino Felipe y le contó su gran descubrimiento. El resultado fue la conversión de Felipe, y con él también sucedió lo que sucede con toda persona que se convierte.

"El primer impulso del corazón regenerado es el de traer a otros también al Salvador" (*CS* 76).

Pero, nota lo que Felipe hizo para testificar: "Felipe halló a Natanael, y le dijo: Hemos hallado a aquél de quien escribió Moisés en la ley, así como los profetas: a Jesús, el hijo de José, de Nazaret" (Juan 1:45).

> "Felipe sabía que su amigo Natanael escudriñaba las profecías, y lo descubrió en su lugar de retiro mientras oraba debajo de una higuera, donde muchas veces habían orado juntos, ocultos por el follaje" (*DTG* 144).

Repara en las expresiones "amigo" y "orado juntos". Esto es clave. Aquí encontramos el concepto del discipulado: la amistad; un amigo que cuenta al otro lo que Jesús hizo en su vida.

Así comenzó a divulgarse el evangelio y a formarse la iglesia cristiana, y si nosotros queremos terminar la misión necesitamos también enseñar a cada creyente a buscar a un familiar, a un conocido, a un compañero de trabajo, o a un amigo, y discipularlo.

El Espíritu de Profecía afirma:

> "Con el llamamiento de Juan, Andrés, Simón, Felipe y Natanael, empezó la fundación de la iglesia cristiana. Juan dirigió a dos de sus discípulos a Cristo. Entonces uno de estos, Andrés, halló a su hermano, y lo llevó al Salvador. Luego Felipe fue llamado, y buscó a Natanael. Estos ejemplos deben enseñarnos la importancia de... nuestros parientes, amigos y vecinos... En la familia misma, en el vecindario, en el pueblo en que vivimos, hay para nosotros trabajo que debemos hacer como misioneros de Cristo" (*CV* 281).

En 1886, la Sierva del Señor decía:

> "Resulta sumamente difícil atraer a la gente. El único método que hemos descubierto que tiene éxito consiste en llevar a cabo reuniones de estudios bíblicos, mediante las cuales se consigue el interés de una, dos o tres personas; luego estas visitan a otras y procuran interesarlas, y en esta forma la obra progresa lentamente, como ha ocurrido en Lausana" (*Ev* 302).

La expresión "luego estas visitan a otras y procuran interesarlas" es más que interesante. La Sierva de Dios también seguía la dinámica de la testificación instituida por Jesús: un cristiano que busca a otra persona y la trae a Jesús. Y enfatiza muchas veces esta manera de cumplir la misión.

> "Son muchos los que necesitan el ministerio de corazones cristianos amantes. Muchos han descendido a la ruina cuando podrían haber sido salvados si sus vecinos, hombres y mujeres comunes, hubiesen hecho algún esfuerzo personal en su favor. Muchos están aguardando a que se les hable personalmente. En la familia misma, en el vecindario, en el pueblo en que vivimos, hay para nosotros trabajo que debemos hacer como misioneros de Cristo" (*CV* 281).

FORMAR DISCÍPULOS

La idea central del discipulado cristiano es la relación personal de cada creyente con la persona a quien desea discipular. En una campaña de evangelización se puede conseguir nuevos creyentes, pero no nuevos discípulos. Nuestro desafío es preparar discípulos para encontrarse con Jesús. Los discípulos forman parte de la iglesia gloriosa que Jesús viene a buscar. Formar un discípulo requiere un trabajo de persona a persona. Cada cristiano forma a otro cristiano, enseñando no apenas conceptos doctrinarios, sino un estilo de vida.

DISCÍPULOS DISCIPULADORES

Hablemos ahora de la necesidad de discípulos formadores de discípulos. Mateo relata lo siguiente: "Al ver las multitudes, Jesús tuvo compasión de ellas porque estaban desamparadas y dispersas, como ovejas que no tienen pastor. Entonces dijo a sus discípulos: 'Ciertamente, es mucha la mies, pero son pocos los segadores. Por tanto, pidan al Señor de la mies que envíe segadores a cosechar la mies' " (Mateo 9:36-38).

Estas palabras de Jesús son interesantes. Hay mucha necesidad espiritual en el mundo; gente que nace y muere sin nunca haber oído las buenas nuevas del evangelio. Los adventistas somos actualmente en el mundo alrededor de 20 millones de miembros. Pero si solo 2 millones se transformaran en discípulos formadores de discípulos, en poco tiempo los 7 mil millones de habitantes del planeta estarían evangelizados. El problema es que la mayoría de la iglesia se limita a ser simple creyente. No son discípulos que forman discípulos. Son meros espectadores de un programa sabático. Juzgan y evalúan el programa. Aprueban o desaprueban. Contribuyen con sus diezmos y ofrendas, pero desgraciadamente no están comprometidos con la misión.

El problema no es de hoy. Ya en los tiempos de Cristo, él decía que la mies es mucha y los obreros son pocos. Tenemos muchos miembros pero pocos discípulos. ¿No crees que ha llegado la hora de cambiar de rumbo de las cosas?

TMI **Todo miembro, involucrado** implica mostrar a Cristo como nuestro mejor Amigo a nuestras amistades. Estas son algunas ideas para involucrarse personalmente:

1. Organiza un almuerzo de Escuela Sabática en tu casa.
2. Invita a tus vecinos y tus amigos a tu casa a comer.
3. Organiza un grupo pequeño para causar impacto en tu comunidad.

CÓMO SE FORMA UN DISCÍPULO - I

El discípulo no nace, se hace. Y la formación de un discípulo no es misión imposible. Tampoco es un misterio. Es simple, si prestamos atención a las enseñanzas divinas. El Señor no solo nos confió la misión de hacer discípulos sino también nos enseñó la manera de hacerlo.

Las dificultades surgen cuando nos olvidamos de las instrucciones divinas y tratamos de crear nuestros métodos humanos y "revolucionarios" para bautizar a todo mundo, creyendo que "hacer discípulos" es aumentar el número de miembros.

> "La comisión divina no necesita ningún cambio. No se puede mejorar el método de Cristo para presentar la verdad" (*CPI* 560).

¿QUÉ ENSEÑÓ EL MAESTRO?

Volvamos a los días de Jesús. Después de la crucifixión, los discípulos estaban escondidos, con miedo de cumplir la misión. Se preguntaban cómo podrían hacer discípulos en todas las naciones si los estaban persiguiendo. Entonces, Jesús se les presentó.

Juan relata: "La noche de ese mismo día, el primero de la semana, los discípulos estaban reunidos a puerta cerrada en un lugar, por miedo a los judíos. En eso llegó Jesús, se puso en medio y les dijo: La paz sea con ustedes. Y mientras les decía esto, les mostró sus manos y su costado. Y los discípulos se regocijaron al ver al Señor. Entonces Jesús les dijo una vez más: La paz sea con ustedes. Así como el Padre me envió, también yo los envío a ustedes" (Juan 20:19-21).

COMO EL PADRE ME ENVIÓ

Esta última declaración encierra el secreto para formar nuevos discípulos: "Así como el Padre me envió, también yo los envío a ustedes". ¿Cómo envió el Padre a Jesucristo? Juan explica: "Y la Palabra se hizo carne, y habitó entre nosotros, y vimos su gloria (la gloria que corresponde al unigénito del Padre), lleno de gracia y de verdad" (Juan 1:14). La Palabra que se hizo carne es Jesús. "En el principio ya existía la Palabra. La Palabra estaba con Dios, y Dios mismo era la Palabra" (Juan 1:1). Pero, a fin de que los seres humanos pudiéramos ver la gloria del Padre, fue necesario que la Palabra se hiciera carne.

La Sierva de Dios confirma este concepto:

> "Cristo mismo se revistió de la humanidad, para poder alcanzar a la humanidad. La divinidad necesitaba de la humanidad; porque se requería tanto lo divino como lo humano para traer la salvación al mundo. La divinidad necesitaba de la humanidad para que esta pudiese

> **proporcionarle un medio de tener comunicaciones entre Dios y el hombre" (*DTG* 253, 254).**

Necesitamos pensar repetidas veces en la manera en que Jesús cumplió la misión. "Cristo mismo se revistió de la humanidad, para poder alcanzar a la humanidad". ¿Por qué? La palabra desprovista de humanidad queda solo en el mundo de las ideas. Es necesario que las ideas maravillosas del evangelio dejen de ser simples palabras y se transformen en vida. Así como el Hijo, la Palabra, se hizo carne en Jesús, también la palabra-mensaje necesita hacerse carne y realidad en la vida de los discípulos de Jesús.

HABITÓ ENTRE LOS PECADORES

Jesús cumplió la misión viniendo a este mundo y habitando entre los seres humanos caídos. No predicó su evangelio desde el cielo. Vino a este mundo sin temor a contaminarse con el pecado. Descendió de las alturas inmaculadas, vivió en este mundo malo, pero no pecó. Y nos dijo que, así como el Padre lo había enviado, él nos envía.

Nos envió al mundo, pero nos advirtió que su Reino no es de este mundo: "No améis el mundo ni las cosas que están en el mundo…". (Juan 18:36), nos dijo. Y, sin embargo, nos pidió que fuéramos al mundo e hiciéramos discípulos en todas las naciones, tribus, lenguas y pueblos.

¿Cómo entender esta aparente contradicción? El propio Maestro la explica en su oración intercesora: "No ruego que los quites del mundo, sino que los protejas del mal" (Juan 17:15). Nuestra misión debe ser cumplida en este mundo, como la cumplió Jesús. Él se hizo carne y habitó entre los hombres. No se aisló. No fue un ermitaño que vivió en las montañas.

Buscó los montes para orar a solas, pero regresó inmediatamente al valle, donde las personas se encontraban. Allí estaba su misión. No hay manera de cumplir la misión encerrados en la iglesia. Hay que salir y buscar a los perdidos donde ellos están, y ellos están en el mundo de pecado.

> "Cristo nos dio ejemplo de ello. Cuando los publicanos y los pecadores lo invitaban a comer, no rehusaba; porque de ninguna otra manera que tratándose con ellos podía alcanzar a esta clase. Pero en toda ocasión les presentaba temas de conversación que atraían su atención a cosas de interés eterno. Y él nos recomienda: 'Así alumbre vuestra luz delante de los hombres, para que vean vuestras buenas obras, y glorifiquen a vuestro Padre que está en los cielos' " (*OE* 409).

Buscar a los pecadores "donde ellos se encuentran" es parte de la misión. Hay que relacionarse con ellos en la vida cotidiana para que puedan ver en nosotros la gloria de Dios y se sientan atraídos a Jesús.

> "La sociedad de los incrédulos no nos hará daño si nos asociamos con ellos con el propósito de conectarlos con Dios, y si somos lo suficientemente fuertes espiritualmente como para resistir su influencia" (*CPI* 567).

TOMA CONCIENCIA DE TU MISIÓN PERSONAL

Antes de salir al mundo a buscar nuevos discípulos, cada miembro de iglesia, cada creyente, debe transformarse en un discípulo formador de discípulos. La misión que Cristo nos confió es personal.

> "Los hombres son, en mano de Dios, instrumentos de los que él se vale para realizar sus fines de gracia y misericordia. Cada cual tiene su papel que desempeñar; a cada cual le ha sido concedida cierta medida de luz, adecuada a las necesidades de su tiempo, y suficiente para permitirle cumplir la obra que Dios le asignó" (*CS* 391).

La instrucción divina es clara: "Cada cual tiene su papel que desempeñar"; "a cada cual le ha sido concedida cierta medida de luz". La expresión "cada cual" expresa la idea divina de que no debe haber un solo creyente que se limite a ser un mero creyente sino que debe asumir su misión personal de conducir personas a Jesús.

CONOCE AL SER HUMANO

Si la misión que Jesús nos confió debe realizarse entre los seres humanos, necesitamos conocer al hombre y a la mujer de nuestros días . ¿Cómo piensa? ¿Qué lo motiva a tomar decisiones? ¿Qué le preocupa? Si no podemos responder estas preguntas, ¿cómo nos aproximaremos de ellos?

"Tratar con las mentes humanas es la obra más delicada en la cual los seres humanos estuvieron alguna vez ocupados" (1*MCP* 191).

Para eso, es necesario conocer la cultura de las personas: caminar por las calles, subir a los medios de transporte, entrar en los mercados; conversar con ellas, ver lo que ellas ven y oír lo que ellas oyen. Pero eso no basta, es necesario también amar a las personas y sentir compasión por ellas.

AMA A LAS PERSONAS

"Dios es amor", afirma Juan. El amor es la esencia de su propio ser. No existe amor sin Dios, ni Dios sin amor. Para nosotros, son dos conceptos separados. Para Juan, es uno solo. El amor es la motivación de todas las acciones divinas, desde la Creación hasta la Redención. "Hace ya mucho tiempo, el Señor se hizo presente y me dijo: Yo te amo con amor eterno. Por eso te he prolongado mi misericordia" (Jeremías 31:3). Por amor estableció a su iglesia "...Cristo amó a la iglesia, y se entregó a sí mismo por ella, para santificarla. Él la purificó en el lavamiento del agua por la palabra, a fin de presentársela a sí mismo como una iglesia gloriosa, santa e intachable, sin mancha ni arruga ni nada semejante" (Efesios 5:25-27).

Si Dios es amor, ¿cuál es la iglesia de Dios en la Tierra? Evidentemente, está formada por sus discípulos. Pero, cualquier ser humano podría decir que es discípulo de Jesús. ¿Cómo sabrá el mundo quiénes son sus verdaderos discípulos? El propio Jesús responde: "En esto conocerán todos que ustedes son mis discípulos, si se aman unos a otros" (Juan 13:35).

La iglesia de Dios es la iglesia del amor. El amor es su principal característica. Por amor a Dios, sigue sus instrucciones y consejos; y por amor a los seres humanos, se dirige al mundo del desamor para traer a las personas a Jesús.

UNA MISIÓN DE AMOR

Existe un mundo que sufre fuera del círculo del amor. Gente que vive en un ambiente de violencia, injusticia, mentira, abuso y explotación. Las personas desean desesperadamente ser felices, pero se vuelven cada vez más infelices y desesperadas, vagan sedientas del alma en procura de placer, engañándose a sí mismas y caminando dolorosamente hacia la muerte.

Pero Dios las ama. Él ha declarado: "¿Acaso me es placentero que el malvado muera? Más bien, quiero que se aparte de su maldad y que viva" (Ezequiel 18:23). ¿Qué hace Dios para rescatar a esas personas de la muerte y traerlas al círculo del amor? Envía a los agentes del amor, que son sus discípulos; aquellos que un día fueron encontrados por Jesús y transformados por el amor. Ellos deben entrar en el círculo del desamor, con el instrumento del amor, y rescatar a esas personas trayéndolas a la iglesia del amor. Esa es la misión. "Vayan al mundo del desamor y traigan a mis hijos a la iglesia del amor".

> "Cuando Cristo dijo a sus discípulos: Salid en mi nombre para traer a la iglesia a todos los que crean, les presentó claramente la necesidad de conservar la sencillez. Cuanto menor fuera su ostentación, mayor sería su influencia para el bien. Los discípulos habían de hablar con la misma sencillez con que había hablado Cristo.

> Debían impresionar en sus oyentes las lecciones que él les había enseñado" (*HAp* 24).

Sin embargo, ¿qué hacemos nosotros? Salimos llevando la doctrina seca, desprovista de amor, creyendo que la misión es convencer a las personas de que están equivocadas. "Esta es la verdad", les decimos, y muchas veces somos crueles en nombre de la verdad. Herimos sentimientos. No respetamos las convicciones ajenas. Parecemos un tractor que arrasa todo lo que encuentra a su paso. Pero encontramos piedras enormes, dificultades, obstáculos insalvables, y nos desanimamos creyendo que en el tiempo en que vivimos es muy difícil cumplir la misión.

La Sierva de Dios aconseja a este respecto:

> "Cuando trabajéis en un lugar donde la gente recién comienza a quitarse las escamas de los ojos... tened mucho cuidado de no presentar la verdad en forma tal que despierte prejuicios, y cierren la puerta de su corazón a la verdad. Concordad con la gente en todos los puntos que os sea posible, sin detrimento de vuestras creencias. Dejadles ver que amáis sus almas, y que deseáis armonizar con ellos tanto como sea posible" (D. A. Delafield, *Elena G. de White en Europa,* p. 782).

Si deseamos cumplir la misión de amor que Jesús nos confió, debemos seguir las instrucciones inspiradas:

> "Oh, si pudiera impresionar a todos con la necesidad de trabajar con el espíritu de Jesús; porque se me ha

mostrado que a algunas almas en Europa se las ha alejado de la verdad por falta de tacto y habilidad al presentársela" (*ibíd.*, p. 784).

BUSCA CINCO PERSONAS

No es posible formar nuevos discípulos sin saber a quiénes deseas conducir a Jesús. Ningún trabajo hecho sin intencionalidad logra resultados. La mejor manera de llegar a ningún lugar es no saber a dónde vas. Por lo tanto, escoge entre tus vecinos, parientes, compañeros de trabajo o de estudio, a cinco personas que te propongas llevar a Jesús. No necesitan ser tus amigos, al principio. Pero son personas con las cuales es más fácil relacionarse y a las cuales te acercarás con el propósito de transformarlas en discípulos de Cristo.

¿Por qué deben ser cinco? Porque, a medida que el tiempo avance, una o más se desanimarán, o simplemente no querrán saber nada de ti aunque hagas todo lo posible para conquistarlas. Pero, por lo menos una de ellas llegará al final. Si empiezas solo con una y se desanima, te frustrarás. Por eso, escoge cinco. A medida que ellas se vuelvan discípulos de Jesús, los sustituirás. Pero debes conservar siempre un semillero de discípulos en perspectiva.

ORA, ORA Y ORA

La conversión es obra del Espíritu Santo. Por lo tanto, ora, ora y ora. No te canses de orar. Aunque te parezca que no estás progresando. El Espíritu de Dios está trabajando de manera invisible, y cuando menos lo esperes tendrás una sorpresa.

Conocí a una señora que trabajó por la conversión de su esposo durante treinta años. Aquel hombre parecía tener un corazón de piedra. Ella hacía todo lo que podía para llegar con el evangelio a su corazón pero parecía que nada daba resultado.

Un día se aproximó a mí con una sonrisa exuberante y me dijo:

–Pastor, mi esposo finalmente se convirtió.

–¿Cómo sucedió ese milagro? –le pregunté.

Su respuesta fue simple:

–Durante treinta años le hablaba a mi esposo acerca de Jesús, y nada sucedía, pero en el último año empecé a hablarle a Jesús acerca de mi esposo, y él se convirtió.

De nada sirve que salgas corriendo en busca de personas si no empiezas con la oración. Ora todos los días por las personas que deseas conducir a Jesús. La oración intercesora, además de ayudar a la persona por la que oras, te hace bien a ti.

Las circunstancias adversas por las que Job pasaba cambiaron cuando empezó a orar por sus amigos. "Después de que Job rogó por sus amigos, el Señor sanó también la aflicción de Job y aumentó al doble todo lo que Job había tenido" (Job 42:10).

> "El Señor quitó la aflicción de Job cuando él oró no solo por sí mismo sino también por los que se le oponían. Cuando deseó fervientemente que se ayudara a las almas que habían pecado contra él, [entonces] él mismo recibió ayuda. Oremos no solo por nosotros mismos sino también por los que nos han hecho daño y continúan perjudicándonos. Orad, orad sobre todo mentalmente. No deis descanso al Señor; pues sus oídos están

abiertos para oír las oraciones sinceras, insistentes, cuando el alma se humilla ante él" (*LO* 291).

UNA HISTORIA PRÁCTICA

La viuda de Jacinto Riquelme vivía con su hijo en una casa de calamina. Los pobladores comentaban que su esposo había sido asesinado por sus enemigos del narcotráfico. Pero, a Rosario, la viuda joven y bonita, no le importaban esos comentarios. Su única certeza era que su esposo había muerto, y ella tenía que luchar para sacar adelante a su hijo de cinco años.

Después de mucho buscar, consiguió trabajo como costurera en la fábrica de pantalones de don Gilberto. Así lo llamaban sus empleados al cuarentón de prematuros cabellos blancos, soltero, que vivía con su madre en una casa localizada en uno de los barrios nobles de la ciudad. Las malas lenguas decían que don Gilberto estaba loco por formar una familia, pero que la madre no se lo permitía.

–¿Por qué mi niño tiene que ser atendido por otra mujer, si su madre todavía vive? –les decía doña Ramona a sus amigas, cuando se reunían semanalmente en la parroquia para planear las obras de beneficencia social.

Doña Ramona era la típica beata que vivía en función de las obras de caridad de la iglesia. No entendía nada de la Biblia, jamás la había leído, pero la cargaba de un lado a otro, aparentando ser una profunda conocedora de los misterios divinos. La señora obesa, de cabellos largos, blancos, amarrados con pulcritud, había heredado de su esposo la fábrica de pantalones que ahora dirigía su único hijo. Era una mujer de convicciones profundas, dominadora, señora de la verdad, autoritaria, y ¡ay de aquel que se atreviera a cruzarse en su camino!

Cuando se enteró de que su "niño" andaba de alas caídas por la viuda, sacó a relucir su naturaleza de leona defensora de su cachorro.

–¡Sal de mi camino! ¡Deja a mi hijo tranquilo! –le gritó una tarde en la puerta de la fábrica, delante de las otras operarias.

Pero ella no conocía a Rosario. Detrás de aquella figura frágil, se escondía una muchacha terca y valiente. Tan terca que se casó con su primer esposo en contra de la voluntad de sus padres, y tan valiente que estaba dispuesta a retirar cualquier piedra de su camino, aunque esa piedra se llamara Ramona.

El galante solterón, hijo de doña Ramona, no era de desecharse. Nadie podría decir que era feo, pero un hombre que a los cuarenta años no es capaz de independizarse de la madre no puede ser un esposo ideal, mucho menos si carga el terrible defecto de la avaricia.

Vestía ropas humildes compradas por la madre. El único par de zapatos marrones ya le estaban durando más de cuatro años. No escondía su mezquindad: contaba cada centavo y se enfermaba cada fin de mes al pagar el sueldo de sus empleados. Fuera de eso, don Gilberto era una buena persona y, por causa de su dinero, un pretendiente que cualquier mujer desearía; mejor dicho, cualquier mujer decidida como Rosario, porque había que tener agallas para enfrentar a la temida suegra. Pero Rosario era Rosario, que además de ser valiente se consideraba protegida por la Virgen del Rosario, en cuyo homenaje llevaba su nombre.

Al principio, el pretendido romance entre el patrón y la empleada no pasaba de simple habladuría. Tal vez porque don Gilberto era un soltero codiciado; y Rosario, una viuda joven y linda. Pero, con el tiempo, las habladurías se fueron transformando en realidad. Y un día don Gilberto se declaró.

–Tú y yo podríamos formar una familia feliz, y yo te ayudaría a criar a Jacintito.

–Pero, don Gilberto, con todo respeto, usted no sale de debajo de la falda de su mamá. Quién tiene que escoger esposa para usted es su mamá.

–Ya lo sé. Ella no te quiere; mejor dicho, ella no quiere a nadie, y yo necesito formar una familia. Tú me gustas.

A partir de aquel día, se encendió en el corazón de Rosario la llama de la codicia y empezó a conquistar definitivamente el corazón del pobre don Gilberto, hasta el punto de llevar al cuarentón a enfermarse de amor. No comía, y pasó dos días seguidos en la cama, sin ganas de levantarse.

Doña Ramona, preocupada por la situación de su hijo, buscó al médico, al sacerdote de la parroquia y hasta a la curandera de la ciudad, y al enterarse de labios de su propio "niño" que su mal era mal de amor exclamó:

–¡Solo por encima de mi cadáver.

Aquella fue la sentencia de un amor que todavía no había nacido; por lo menos, no, en el corazón de Rosario. Ella solo estaba interesada en el dinero del pretendiente y soñaba con la vida cómoda que podría proporcionarle a su hijo. Por eso, un día, a tanta insistencia de don Gilberto, le presentó una posible solución.

–Si realmente me ama, don Gilberto, huyamos a los Estados Unidos.

–Pero ¿cómo?

–Venda la fábrica, y vayamos a un lugar donde su madre nunca lo encuentre.

Así sucedió un día, y otro y otro, hasta que finalmente don Gilberto sucumbió a las insinuaciones de Rosario e hizo lo que jamás había imaginado. Vendió la fábrica, largó la falda de la madre, y se marchó con Rosario y Jacintito a los Estados Unidos.

Pasaron tres años, que a Rosario le parecieron décadas. Don Gilberto le salió peor que la encomienda. Sus defectos se multiplicaron, y a pesar de toda la valentía y la terquedad de Rosario, ella empezó a marchitarse como un girasol al caer la tarde. Ella no hablaba inglés y dependía para todo de su esposo. Él aprovechaba la situación para controlar por completo la vida de la infeliz mujer. ¡Ah, si el arrepentimiento matara! Pero ¿qué podía hacer? Se encontraba lejos de su tierra, casi en el límite con Canadá, no tenía recursos y, para remate, les nació un niño.

En esas circunstancias, la triste mexicana conoció a Margarita, una enfermera salvadoreña. Margarita le habló de Jesús, le regaló sermones grabados y la llevó a la iglesia, donde después de estudiar la Biblia se transformó en una discípula de Jesús.

Pero la vida, que ya era un infierno al lado de don Gilberto, se le volvió peor porque el marido la empezó a maltratar físicamente y a prohibirle que fuera a la iglesia. Para colmo de males, una mañana fría del mes de enero, doña Ramona apareció en la puerta y armó un escándalo, amenazó con llamar a la policía y llevarlos, presos, de vuelta a México por haberle robado.

Fue terrible. Rosario tuvo que someterse a los chantajes de la suegra y se preguntaba por qué Dios permitía que todo esto sucediera ahora que había conocido a Jesús.

–Justamente por eso –le dijo el Pastor–; si esto te hubiera pasado antes de conocer a Jesús, ¿de dónde sacarías fuerzas para resistir?

–Y ¿qué hago ahora? Usted no tiene idea de cuán terrible es esa señora.

–Hija, yo creo que tu primer campo misionero es tu casa, y las primeras personas por las cuales necesitas trabajar son tu esposo y tu suegra.

–¿Mi esposo avaro y mi suegra gruñona?

–Sí, pero el primer paso es amarlos.

–Y ¿cómo hago para arrancar de mi corazón el resentimiento?

–Ora al Señor y estudia su Palabra todos los días. Ese es el secreto de la vida cristiana victoriosa. Además de orar, conquístalos para Jesús.

–Usted no los conoce, pastor; ellos no quieren saber nada del evangelio y ahora se han juntado contra mí. Vivo casi en una prisión; ya pensé en huir y volver a mi tierra, pero no tengo dinero y, para remate, tengo a mi segundo hijo. ¿Cómo lo voy a dejar sin padre?

Cualquiera podría pensar, desde la perspectiva humana, que Rosario se había metido en la cueva de los chacales y que de allí no saldría nunca. Cualquiera, menos Rosario. Porque, después de la conversación que tuvo con el pastor, ella empezó a orar como nunca. Su primera petición fue para que Dios le diera un nuevo corazón.

Todos los días, mientras el esposo y la suegra aún dormían, ella pasaba tiempo leyendo la Palabra de Dios y orando. Semana tras semana, mes tras mes, hasta que el milagro empezó a suceder. Primero con ella, porque empezó a ver en su suegra y en su marido virtudes que no veía antes. Los servía con humildad, no contestaba en el mismo tono, no pronunciaba más palabras mordaces, ni se mostraba malhumorada, como antes de conocer a Jesús.

Un día el esposo, intrigado, le preguntó:

–¿Estás enferma?

–¿Por qué?

–Últimamente te veo callada; tú no eres así.

–¿Así, cómo?

–Estás cambiada.

–El evangelio cambia, estoy feliz.

Don Gilberto se quedó preocupado y habló con su madre.

–¿Ya notaste el cambio en la vida de Rosario?

–No te quise decir nada, hijo, pero desde que llegué he notado que Rosario no es la misma; ¿qué le has hecho?

–Nada, eso es lo que me preocupa.

–Cuidado, hijo, esa loca te puede estar traicionando; ¿estás seguro de que ese pequeño es hijo tuyo? Esos protestantes son terribles, cuidado.

Todos los días la misma cantaleta.

La imaginación de don Gilberto empezó a crearle amantes a su pobre esposa. Pasó a tratarla peor, y cuanto peor la trataba ella respondía con más cariño y dulzura. Le preparaba los platos que más le gustaban, se preocupaba por detalles que sabía que a él le encantaban.

Hacía la misma cosa con la suegra. El día del cumpleaños de doña Ramona, Rosario se levantó bien temprano, preparó una torta deliciosa, y cuando la suegra entró al comedor recibió la sorpresa, emocionada. Rosario aprovechó el momento de sensibilidad de la homenajeada y preguntó:

–¿Puedo hacer una oración por usted?

Ella asintió con los ojos brillando de emoción y Rosario oró:

–"Padre querido, te agradezco por la vida de doña Ramona; ella es una hija maravillosa tuya. Te agradezco porque ella trajo al mundo a mi esposo. La has cuidado a lo largo de su vida y ahora le estás dando un año más de vida.

Al terminar la oración, su suegra corrió al cuarto. Rosario pensó que la había enfadado, pero después salió vistiendo una ropa blanca y dijo:

–Esta ocasión merece un vestido especial.

Aquel día comenzaron a cambiar las cosas. Doña Ramona se mostraba menos gruñona y más comprensiva. Por lo menos, no le hacía la vida tan difícil como antes.

En cierta ocasión, la suegra derribó sin querer una imagen de la Virgen de Guadalupe que había traído de México. Lloró, se lamentó, pidió perdón a la Virgen y se pasó casi todo el día rezando arrepentida. Mientras la suegra pagaba sus penitencias impuestas por ella misma, Rosario recogió los pedazos de yeso, y reconstruyó la imagen con tanto cariño y perfección que nadie diría que alguna vez había estado quebrada. Al salir del cuarto, la suegra se topó con la santa y gritó:

–¡Milagro, milagro!

–No fue un milagro, mamita; fue la Rosario, que reconstruyó la santa –le contestó su hijo.

Aquella actitud de la nuera derritió definitivamente el duro corazón de doña Ramona, quien la buscó inmediatamente. Rosario estaba en el garaje, arreglando unas cajas, cuando la suegra entró:

–Hija, perdóname por todo lo que te hice.

–¿Qué fue?

–Estás diferente, no eres más la muchacha malcriada que conocí.

–No, mi suegra; esa Rosario murió, y hoy soy una nueva criatura, transformada por Jesús.

–¿De qué hablas?

–La Biblia dice que si estamos en Cristo somos nuevas criaturas".

–¿Dónde lo dice?

Así, doña Ramona y don Gilberto comenzaron a estudiar la Biblia, a oír sermones grabados y a asistir a la iglesia.

Hoy, todos forman un hogar feliz.

TMI **Todo miembro, involucrado** significa ir a donde está la gente y mezclarse con ella. Estas son algunas ideas para involucrarse personalmente:

1. Elige a cinco personas que quieras que conozcan a Jesús.
2. La conversión es obra del Espíritu Santo. Por lo tanto, ora, ora y ora. No te canses de orar.
3. Asiste a donde la gente se reúna. Aprende a amar a la gente y a sentir compasión por ella.

CÓMO SE FORMA UN DISCÍPULO - II

LA HISTORIA QUE ACABAS DE LEER MUESTRA DE manera práctica el poder de la oración, y la fuerza de una vida transformada y llena de amor como instrumentos en la formación de nuevos discípulos. Nadie resiste a la atracción del amor. El mundo no perece por falta de religión sino de amor. La primera evidencia de que Jesús realizó un cambio en la experiencia del nuevo discípulo no es cuánta doctrina sabe sino cuánto es capaz de amar.

> "Negamos a Jesús como el que quita los pecados del mundo si, después de aceptar la verdad, no revelamos al mundo los efectos santificadores de la verdad en nuestro propio carácter. Si no somos hombres y mujeres mejores, si no somos más bondadosos, más compasivos, más corteses, más llenos de ternura y amor;

> si no manifestamos a otros el amor que indujo a Jesús a venir al mundo en misión de misericordia, no somos testigos ante el mundo del poder de Cristo" (*AFC* 308).

Pero el amor es solo el primer paso. Si deseas tener éxito en la formación de nuevos discípulos, necesitas continuar buscándolos.

ENCUENTRA UN COMPAÑERO DE ORACIÓN

En la Biblia está registrada la siguiente promesa de Jesús: "Una vez más les digo, que si en este mundo dos de ustedes se ponen de acuerdo en lo que piden, mi Padre, que está en los cielos, se lo concederá" (Mateo 18:19).

La expresión "Una vez más les digo, demuestra que este es un asunto que a los seres humanos les cuesta entender. Jesús lo tiene que repetir una y otra vez. Pero, la promesa es concreta y segura. No falla. Dios responde la oración de dos hijos, cuando estos se ponen de acuerdo para pedir sobre cualquier cosa. Por lo tanto, busca un compañero de oración y juntos oren por sus respectivos amigos. Dios responderá desde los cielos, y ellos se convertirán en nuevos discípulos.

El Señor Jesús enseñó a sus discípulos a trabajar de esta forma. Nadie cumplía la misión solo.

> "Llamando a los doce en derredor de sí, Jesús les ordenó que fueran de dos en dos por los pueblos y las aldeas. Ninguno fue enviado solo, sino que el hermano iba asociado con el hermano; el amigo, con el amigo. Así podían ayudarse y animarse mutuamente, consultando

y orando juntos, supliendo cada uno la debilidad del otro. De la misma manera, envió más tarde a setenta. Era el propósito del Salvador que los mensajeros del evangelio se asociaran de esta manera. En nuestro propio tiempo, la obra de evangelización tendría mucho más éxito si se siguiera fielmente este ejemplo" (*DTG* 303).

NADIE DESEA CAMBIAR DE RELIGIÓN

Otra cosa que debes tener en cuenta, al buscar a las personas para hacerlas discípulos de Cristo, es que nadie, con rarísimas excepciones, desea cambiar de religión. No empieces tu acercamiento a las personas hablando de temas religiosos. Recuerda el consejo popular: "Si deseas ser mi amigo, no me hables de tu equipo de fútbol, ni de tu partido político, ni de tu religión, porque en estos tres terrenos cada uno tiene su propio equipo".

Al acercarte a las personas, háblales de lo que a ellas les interesa. No de lo que para ti es importante y verdadero. Las personas que no conocen el evangelio no están interesadas en saber alguna cosa del sábado, o de la Ley, o de la bestia del Apocalipsis. Tampoco desean dejar de tomar café o de comer carne de cerdo. Ellas tienen su estilo de vida, y les molesta que alguien quiera inmiscuirse en su vida privada. Mucho menos, una persona desconocida. Por lo tanto, si deseas hacer nuevos discípulos, sigue el ejemplo del Maestro.

"Jesús veía en toda alma un ser al cual debía llamarse a su Reino. Alcanzaba el corazón de la gente yendo entre ella como quien desea su bien. La buscaba en las calles, en las casas privadas, en los barcos, en la sinagoga, a

> orillas del lago, en la fiesta de bodas. Se encontraba con ella en sus vocaciones diarias y manifestaba interés en sus asuntos seculares. Llevaba sus instrucciones hasta la familia, poniéndola, en el hogar, bajo la influencia de su presencia divina. Su intensa simpatía personal le ayudaba a ganar los corazones" (*ibíd.*, p. 125).

Observa que Jesús se acercaba a la gente con el propósito de traerla a su Reino, pero hablaba con ella de "asuntos seculares".

PESCADORES

Jesús les dijo a sus primeros discípulos: "Síganme y yo haré de ustedes pescadores de hombres" (Mateo 4:19). ¿Cómo se pesca? Requiere paciencia. Tienes que quedarte mucho tiempo esperando que el pez muerda el anzuelo. Y ¿qué colocas de carnada? Generalmente, lombriz, gusano, camarón o cosas parecidas. Jamás colocarías un pedazo de chocolate, aunque a ti, personalmente, te encante el chocolate. Tampoco colocarías un pedazo de lechuga, o tomate, aunque sean muy saludables. Por una razón básica. Al pez no le gusta el chocolate, ni la lechuga, ni el tomate. Le gusta la lombriz, por más asquerosa e inmunda que a ti te resulte.

En la bendita obra de buscar personas y hacerlas discípulas de Jesús, necesitas aproximarte a ellas hablando de las cosas que a ellas les interesa: deportes, automóviles, comida, dinero, etc. El primer paso es hacerte amigo de las personas.

HAZTE AMIGO

Las personas necesitan primero ser atraídas a ti, a quien pueden ver, para después ser atraídas a Jesús, a quien no pueden ver. Fracasarás en tu intento de traer personas a Cristo si deseas adoctrinar a las personas antes de haber conquistado su amistad. Las personas no siguen a desconocidos. Siguen a sus amigos.

¿Quieres tener éxito al conducir a una persona a Jesús? Recuerda el principio de que las personas solo siguen a sus amigos. ¿Quién conduce a un joven a las drogas? Los amigos. Cualquier joven que empieza a usar drogas sabe que caerá en un abismo de destrucción, sin salida. Pero el poder de la amistad es tan grande que acepta seguir a sus amigos a pesar del riesgo. ¿Por qué una persona rechazaría la invitación de venir a la iglesia, si ha sido conquistada por la amistad?

Pero, construir una amistad requiere tiempo. Nadie se vuelve amigo de alguien en una semana o en un mes. La amistad es una planta que requiere tiempo para ser cultivada, pero es el único método que Jesús nos dio para cumplir la misión. Aprovecha cualquier ocasión para cultivar amistad con las personas.

"Cuando era invitado a una fiesta, Cristo aceptaba la invitación para poder sembrar la simiente de la verdad en el corazón de los presentes mientras estuviera sentado a la mesa. Él sabía que la simiente así sembrada brotaría y produciría fruto. Sabía que algunos de los que estaban sentados a la mesa con él responderían luego a su llamamiento 'Sígueme'. Es nuestro el privilegio de estudiar los métodos de enseñanza de Cristo, mientras iba de un lugar a otro sembrando por doquiera la semilla de la verdad" (*Manuscrito* 113, 1902; *Ev* 48).

SIGUE EL MÉTODO DE JESÚS

La mejor manera de hacerte amigo de alguien para transformarlo en discípulo de Jesús es seguir el método que el propio Maestro nos enseñó.

> "Si queréis acercaros a la gente en forma aceptable, humillad vuestros corazones delante de Dios y aprended sus caminos. Obtendremos mucha instrucción para nuestra obra de un estudio de los métodos de trabajo de Cristo y de su manera de encontrarse con la gente" (*RH,* 18 de enero, 1912. *Ev* 44).

¿Por qué humillarse? Porque el ser humano natural no se somete fácilmente a las enseñanzas divinas. Pero la Sierva de Dios dice: "humillad vuestros corazones delante de Dios y aprended sus caminos".

¿De qué caminos y métodos se habla aquí? Ella misma responde:

> "Solo el método de Cristo nos dará éxito en alcanzar al pueblo. El Salvador se relacionaba con los hombres como quien deseaba hacerles el bien. Les mostraba simpatía, atendía sus necesidades y se ganaba su confianza. Entonces les decía: 'Seguidme' "(*MC* 133).

HAZ BIEN A LAS PERSONAS

¿Qué es lo primero que Jesús hacía? "Se relacionaba con los hombres como quien deseaba hacerles el bien". Haz tú lo mismo. Acércate a las personas como quien desea hacerles el bien. No tengas prisa. Si en la vida física se necesita por lo menos nueve meses para que un niño nazca, en la vida espiritual también se requiere tiempo para que una persona nazca en el Reino de Dios. Por lo tanto, invierte tiempo en hacerte amigo de la persona sin dar la impresión de que la quieres "convertir", o que deseas cambiarle la religión. Descubre qué le gusta y conversa con ella de esos temas.

> "La comisión divina no necesita ningún cambio. No se puede mejorar el método de Cristo para presentar la verdad. El Salvador les dio lecciones prácticas a los discípulos, al enseñarles cómo trabajar de tal manera que las almas se regocijaran en la verdad. Manifestó simpatía por los desanimados, los que soportaban cargas pesadas y los oprimidos. Alimentó al hambriento y sanó al enfermo. Anduvo constantemente haciendo el bien por todas partes. Interpretó el evangelio para los seres humanos mediante el bien que realizó, por sus palabras llenas de amor y mediante sus actos de bondad" (*CPI* 560).

MUÉSTRALES SIMPATÍA

La simpatía atrae. Si Cristo vive en ti y tú reflejas su carácter, tu vida será como un imán que atraerá a las personas. Un saludo, un gesto de cortesía o amabilidad, un elogio, una palabra de aprecio, son detalles de simpatía que conquistan a los vecinos, parientes y compañeros de trabajo o de estudio.

"Si nos humilláramos delante de Dios; si fuéramos bondadosos, corteses, compasivos y piadosos, habría cien conversiones a la verdad donde ahora hay una sola" (9*T*/152).

A continuación, presentamos algunas ideas de cómo acercarte a alguien para hacerle el bien:

1. Ayudarlo a bajar las compras del automóvil.
2. Llevarle un plato de comida cuando prepares algo especial.
3. Ofrecerte para cuidarle la casa cuando sale de viaje.
4. Ofrecerte a limpiar la nieve de su jardín.
5. Ofrecerte a cortar la grama.
6. Ofrecerte a recoger las hojas.
7. Ofrecerle transporte.
8. Invitarlo a tu casa.
9. Ofrecerte a recogerle la correspondencia cuando viaja.
10. Descubrir cuándo es su cumpleaños y llevarle un regalo.
11. Ayudar con una traducción, si necesita.
12. Arreglar algo de la casa si tienes la experiencia como para hacerlo.
13. Ofrecerte a lavarle el automóvil.

ATIENDE LAS NECESIDADES DE LAS PERSONAS

Todos los seres humanos, indistintamente de raza, posición social, nacionalidad, religión o filosofía, enfrentan dificultades en algún momento. Pueden ser problemas familiares, económicos, sociales, profesionales, físicos, o simplemente existenciales. Todos, sin excepción, en algún momento se sienten solos, tristes, apesadumbrados, e incapaces de encontrar salida para su problema. En esa hora, la tendencia humana es buscar ayuda, y abrir el corazón. Generalmente lo hacen con un amigo. Esa es la oportunidad para hablarles de Jesús. Es verdad que la mayoría de las personas no desea cambiar de religión, ni de iglesia. Pero también es verdad que en la hora de la dificultad todos buscan a un amigo. Y los discípulos de Cristo estarán presentes para mostrar a Cristo como la única y verdadera solución para los dramas humanos.

Observa lo que dice el Espíritu de Profecía:

> "Pero no se ha terminado el trabajo de Cristo en favor de los seres humanos. Todavía continúa actualmente. Sus embajadores deben predicar el evangelio y revelar su amor por las almas perdidas que perecen. Al manifestar un interés altruista por los menesterosos, ofrecerán una demostración práctica de la verdad del evangelio. Esta obra requiere muchísimo más que la mera predicación de sermones. La obra que Dios ha dado a los que avanzan en su nombre es la evangelización del mundo. Se deben hacer colaboradores con Cristo, y revelar su amor tierno y compadecido a los que están por perecer" (*CPI* 560).

Se repite dos veces en este texto la manifestación del amor de Dios a los perdidos. "Sus embajadores deben predicar el evangelio y revelar su amor"; y hablando de sus seguidores, dice que "se deben hacer colaboradores con Cristo, y revelar su amor tierno y compadecido a los que están por perecer".

Cuando el ser humano atraviesa por momentos difíciles, es capaz de hacer cualquier cosa para encontrar la salida. ¿Quién podría imaginar, por ejemplo, que el orgulloso capitán sirio Naamán fuera capaz de cruzar el desierto en busca del profeta y sumergirse siete veces en el Jordán, al que consideraba un río inferior a cualquier otro? Pero, así reacciona el ser humano en la hora de la necesidad. Y Dios desea que sus discípulos sean los instrumentos de su amor para ayudar a las personas.

CONQUISTA LA CONFIANZA

Aquí volvemos al factor tiempo. No se gana la confianza de una persona en poco tiempo. La confianza es el resultado del tiempo y de la convivencia. Aprende a oír. Todos necesitan ser escuchados. Presta atención a lo que las personas desean hablar. No muestres impaciencia aunque lo que ellas digan te parezca irrelevante. El amigo leal se ríe con tus chistes, aunque no sean buenos, y se conduele de tus problemas aunque no sean graves. Si tú no deseas oír a las personas, ¿cómo pretenderás que te escuchen ellas?

PRÉSTALE MATERIALES

En algún momento las personas con las cuales estás trabajando mostrarán interés en las cosas espirituales. Siempre es así. En la convivencia contigo, ellas notan que hay algo diferente en ti. Tal vez no tengan conciencia de ello, pero ven el carácter de Jesucristo reflejado en tu vida. Es la gloria de Dios manifestada en tu manera de vivir.

Al percibir el interés de tu amigo en asuntos espirituales, llegó la hora de presentarle las enseñanzas bíblicas. Este es el momento de los estudios bíblicos. Si sabes cómo hacerlo, sigue adelante, pero ¿qué sucede si no sabes presentar estudios bíblico? No todos los discípulos llegarán a ser expertos instructores bíblicos. La enseñanza es un don que Dios no les ha concedido a todos los creyentes.

Pablo afirma: "Porque así como en un cuerpo hay muchos miembros, y no todos los miembros tienen la misma función, así también nosotros, aunque somos muchos, formamos un solo cuerpo en Cristo, y cada miembro está unido a los demás. Ya que tenemos diferentes dones, según la gracia que nos ha sido dada, si tenemos el don de profecía, usémoslo conforme a la medida de la fe. Si tenemos el don de servicio, sirvamos; si tenemos el don de la enseñanza, enseñemos" (Romanos 12:4-7). Pero ¿y si no recibiste el don de la enseñanza, y te sientes incapaz de dar estudios bíblicos?

No te preocupes. Hoy existen muchos recursos. Hay estudios bíblicos en CD, DVD y otros recursos electrónicos. Busca esas herramientas y préstaselas a tu amigo, o siéntate con él para verlos en el televisor o la computadora. Ha llegado también el momento de entregarle otros materiales de lectura que lo ayuden a entender el mensaje de salvación y a empezar a crecer en su experiencia cristiana.

ENSÉÑALE A HACER OTROS DISCÍPULOS

El proceso del discipulado no termina con el bautismo. Si sigues todos los pasos expuestos por el método de Cristo, logras conducir a una persona a Jesús, y crees que tu misión acabó por el hecho de que la persona se bautizó, estás engañado. En ese caso, has hecho un nuevo miembro de iglesia y no un discípulo.

Tú, como el discípulo de Cristo que está formando a este nuevo discípulo, tendrás que estar seguro de que el nuevo discípulo está orando constantemente, está estudiando la Biblia todos los días y está formando un nuevo discípulo. Es parte de tu trabajo discipulador ver que tu amigo ya tiene la lección de la Escuela Sabática y la Devoción Matutina.

Al mismo tiempo, necesitas enseñar al nuevo creyente que un discípulo es aquel que decide seguir a Jesús y formar a otro discípulo. La Sierva de Dios aconseja:

> "Los cristianos que están creciendo constantemente en fervor, en celo y en amor nunca apostatarán. Son aquellos que no se hallan ocupados en una labor abnegada los que tienen una experiencia enfermiza, y llegan a agotarse por la lucha, dudando, murmurando, pecando y arrepintiéndose, hasta que pierden todo sentido de lo que constituye la genuina religión" (*SC* 136).

CONSECUENCIAS TRISTES

El nuevo creyente que se transforma en un nuevo discípulo "no apostata nunca". Está preocupado por crecer en Cristo, y en buscar a otras personas y discipularlas. No tiene tiempo para el desánimo ni para el desaliento. "Son aquellos que no se hallan ocupados en una labor abnegada los que tienen una experiencia enfermiza, y llegan a agotarse por la lucha, dudando, murmurando, pecando y arrepintiéndose, hasta que pierden todo sentido de lo que constituye la genuina religión".

Esta es la razón por la cual nuestra misión es formar discípulos de Cristo. No podemos darnos el lujo de tener en la iglesia simples creyentes, o miembros. Si descuidamos la labor de formar discípulos, corremos el riesgo de llenar la iglesia de personas problemáticas que entorpecerán el cumplimiento de la misión.

> "Hay muchos que profesan el nombre de Cristo cuyos corazones no se empeñan en su servicio. Sencillamente, hacen profesión de piedad, pero por este mismo hecho han ampliado su condenación y han llegado a ser agentes satánicos más engañosos y que alcanzan más éxito en la ruina de las almas" (*SC* 121).

Y recuerda que un discípulo no cesa de crecer. El crecimiento es la evidencia de un cristianismo sano. Por lo tanto, tú y tu nuevo discípulo, y los discípulos que las personas que discipulaste traigan a Jesús, seguirán creciendo por toda la eternidad. "Los entendidos resplandecerán como el resplandor del firmamento; y los que instruyen a muchos en la justicia serán como las estrellas por toda la eternidad" (Daniel 12:3).

TMI **Todo miembro, involucrado** significa también hacer discípulos. Estas son algunas ideas para involucrarse personalmente:

1. Encuentra un compañero de oración y oren juntos por sus amigos.
2. Aprovecha todas las oportunidades para cultivar amistades con otras personas.
3. Habla con la gente sobre lo que ellos quieren, no sobre lo que tú quieres.

EL VALOR DE UNA IGLESIA RECEPTIVA

CORRÍA EL AÑO 1979. LA MÚSICA DE DISCOTECA estaba de moda en el Brasil. Eran los tiempos de la "vaselina". Hombres de pantalones *jeans* apretados y cabellos fijados con gel. Mujeres que usaban medias cortas y coloridas.

Cierta noche del mes de septiembre, un joven peinado a lo John Travolta caminaba frente a una iglesia nuestra. El muchacho olía a marihuana y mostraba sus brazos fuertes llenos de tatuajes. Al acercarse a la iglesia, vio en la puerta a tres jóvenes recepcionistas, bonitas, con una sonrisa en el rostro.

El "lobo malo" empezó a babear al ver a las ovejitas del rebaño del Señor. Se acercó a la puerta intentado galantearlas, pero antes de que dijera cosa alguna, una de ellas que se le aproximó:

–Hola, bienvenido a la casa de Dios. Esta es tu familia, te amamos; por favor, entra.

El joven se dio cuenta de que lo estaban conduciendo a la iglesia, y reaccionó:

–No… no, yo solo estaba pasando…

–No, ven aquí; hace tiempo que te esperamos... entra, tú eres importante para Dios y para nosotros.

Las chicas no le dieron tiempo para pensar. Al caer en sí, el joven ya estaba sentado, oyendo la predicación del pastor.

Han pasado casi cuarenta años de ese jocoso incidente. Hoy ese joven es un pastor de la Iglesia Adventista.

La pregunta que debemos hacer es: ¿Qué habría sucedido si, en lugar de esas jóvenes simpáticas y presentables, hubieran estado en la puerta personas tal vez bien intencionadas pero sin la simpatía y el amor necesarios para recibir a alguien que entra por primera vez a la iglesia?

El esfuerzo personal de los miembros para conducir personas a Jesús y transformarlas en nuevos discípulos fracasará si la iglesia no es una iglesia receptiva, cautivante y atractiva. Ese trabajo empieza en la puerta. Las recepcionistas deben ser las personas más simpáticas de la iglesia, vestidas de manera alegre pero recatada. Ellas son el rostro de la iglesia.

CAMBIA EL ROSTRO DE TU IGLESIA

Lo que atraiga a las personas a la iglesia no debe ser el templo en sí, ni la simpatía de los creyentes, sino solamente Jesús. Pero, es inevitable que la primera impresión cuente mucho para la persona que viene por primera vez. Ella vive los inicios de su experiencia con Cristo y todavía es influenciada por las cosas que ve; o que no ve.

En la casa de Dios deben destacarse la limpieza, la sencillez y la austeridad. No es necesario el lujo, pero tampoco nadie debería percibir descuido y negligencia. Asientos confortables, luces que funcionan, una decoración de buen gusto y un equipo de sonido que permita oír con claridad son detalles importantes que las personas notan en el momento en que entran. Hay iglesias que se preocupan por todo menos por el sonido. Se olvidan de que las personas van a la iglesia a oír la Palabra de Dios, y si no oyen bien no volverán.

Y no es suficiente preocuparse solo por el aspecto interior, sino también debemos preocuparnos por el exterior. El templo debe atraer por su aspecto físico. Paredes siempre bien pintadas, jardines en orden, y un letrero que identifique a la iglesia. Cuando el templo es arreglado con buen gusto, del lado exterior, es posible que algunas personas entren por simple curiosidad. El templo debe dar la impresión de que es un lugar donde Dios se reúne con los seres humanos y camina con ellos compartiendo sus sueños y esperanzas.

AMAR Y SONREÍR A LAS PERSONAS

En el mundo de afuera, nadie se preocupa por nadie. Millones de personas se cruzan en la calle y hasta en el mismo edificio sin saludarse. En la iglesia debe ser diferente. Cada miembro debe aprender a saludar a las personas aun sin conocerlas. Basta ver a una persona desconocida para sonreírle con amabilidad, o acercarse para ofrecerle ayuda.

Las personas deben salir de la iglesia impactadas por la cortesía y la amabilidad de la iglesia, de modo que se sientan animadas a regresar. El Espíritu de Profecía dice:

> "El último mensaje de clemencia que ha de darse al mundo es una revelación de su carácter de amor. Los hijos de Dios han de manifestar su gloria. En su vida y

> su carácter han de revelar lo que la gracia de Dios ha hecho por ellos" (*PVGM* 342).

Nuestro mensaje para el mundo, en el tiempo en que vivimos, no es apenas un conglomerado de conceptos teóricos sino la revelación del carácter de amor de Dios, reproducido en la vida de los creyentes.

La iglesia debe tener conciencia de su responsabilidad misionera. Las personas que vienen por primera vez necesitan ver la "revelación del carácter de Dios" en la vida de cada creyente. Y esto será simple y natural cuando cada creyente ore constantemente, estudie la Biblia todos los días y busque a otra persona para hacerla un discípulo de Jesús. Recuerda que:

> "Cristo espera con un deseo anhelante la manifestación de sí mismo en su iglesia. Cuando el carácter de Cristo sea perfectamente reproducido en su pueblo, entonces vendrá él para reclamarlos como suyos" (*EJ* 269).

SÉ PACIENTE CON LOS RECIÉN CONVERTIDOS

La vida del nuevo discípulo es un largo camino de crecimiento. "Pero la senda de los justos es como la aurora: ¡su luz va en aumento, hasta la plenitud del día!" (Prov. 4:18). Acepta a las personas como son y no como quisieras que sean. Ámalas y muéstrales ese amor.

La Sierva de Dios aconseja:

> "Si queréis acercaros a la gente en forma aceptable, humillad vuestros corazones delante de Dios y aprended

> sus caminos. Obtendremos mucha instrucción para nuestra obra de un estudio de los métodos de trabajo de Cristo y de su manera de encontrarse con la gente" (*Ev* 44).

¿Cómo trataría Jesús a las personas que vinieran hoy por primera vez a la iglesia? ¿Cómo trató a la pecadora que le ungió los pies con el perfume de nardo? Mientras que algunos líderes religiosos la criticaban, Jesús aceptaba la expresión de gratitud de esta mujer.

> "Pero, entre nosotros como pueblo, hace falta una simpatía profunda y ferviente, que conmueva el alma, y necesitamos tener amor por los tentados y los que yerran. Muchos han manifestado gran frialdad y una negligencia pecaminosa... El alma recién convertida tiene con frecuencia fieros conflictos con costumbres arraigadas, o con alguna forma especial de tentación; y, siendo vencida por alguna pasión o tendencia dominante, comete a veces alguna indiscreción o un mal verdadero. Entonces es cuando se requieren energía, tacto y sabiduría de parte de sus hermanos, a fin de que pueda serle devuelta la salud espiritual" (*CPI* 460).

En cierta ocasión visité una iglesia donde uno de los líderes se encontraba en la puerta "supervisando" la vestimenta de las personas. Usaba lentes gruesos y parecía un fiscal del buen comportamiento. Él parecía no percibirlo, pero con su actitud "espantaba" a muchas personas sinceras que venían por primera vez y con las cuales los discípulos de la iglesia estaban trabajando.

No creo que este hermano exhibiera esa "hostilidad" por ser malo. Seguramente él creía que estaba velando por las normas de la iglesia. Pero, si la Sierva del Señor estuviera viva, le diría:

> "No es todavía demasiado tarde para redimir la negligencia pasada. Reavívese el primer amor, el primer ardor. Buscad a aquellos que ahuyentasteis, vendad por medio de la confesión las heridas que hicisteis. Acercaos al gran corazón de amor compasivo y dejad que la corriente de esa compasión divina fluya a vuestro corazón, y de vosotros a los corazones ajenos. Sea la ternura y la misericordia que Jesús reveló en su preciosa vida un ejemplo de la manera en que nosotros debemos tratar a nuestros semejantes, especialmente a los que son nuestros hermanos en Cristo" (*CPI* 462).

En todos los tiempos ha habido hermanos celosos que, en lugar de transformar a la iglesia en un panal de miel que cautive, la han transformado en un lugar que proyecta la imagen de un club de gente de cabeza cerrada. Me impresiona lo que la Sierva del Señor dice: "Dejad que la corriente de esa compasión divina fluya a vuestro corazón". Volvemos aquí a la convivencia diaria con Jesús, que se resume en el estudio diario de la Biblia, la oración constante, y el hecho de buscar a una persona y conducirla a Jesús. Esa es la única manera de que la corriente de la compasión divina fluya a nuestro corazón.

Nunca es tarde para repensar nuestras actitudes. Nadie pierde nunca por rendirse a Jesús y ver las cosas desde el prisma divino, y no desde la perspectiva de nuestras costumbres y tradiciones.

El consejo inspirado siempre fue:

> "Debemos salir a proclamar la bondad de Dios y a poner de manifiesto su verdadero carácter ante la gente. Debemos reflejar su gloria" (*FO* 62).

Sin embargo, ya en sus días la Sierva de Dios preguntaba:

> "¿Hemos hecho esto en el pasado? ¿Hemos revelado el carácter de nuestro Señor por precepto y ejemplo?" (*ibíd.*, p. 62).

Creo que hoy deberíamos hacernos la misma pregunta y pedirle a Dios que nos ayude a seguir sus enseñanzas.

Hace un tiempo, alguien me preguntó si deberíamos permitir que las costumbres del mundo entrasen libremente a la iglesia. Mi respuesta es no. Dios tiene principios eternos que trascienden los tiempos, las culturas y las generaciones. Esos principios están comprendidos en la santa Ley de Dios. Pero, creo que lo que es considerado como costumbres saludables en una cultura debería ser enseñado en esa cultura, con el amor con que Cristo enseñaba las lecciones de su Reino. El amor es la base de la experiencia cristiana. Un discipulado desprovisto de amor no es discipulado.

Hace muchos años, yo tenía en mi iglesia a una joven que se cortaba el cabello exageradamente corto. Al mirarla por la espalda, daba la impresión de ser un varón. Los ancianos hacían mucho problema para que ella se dejara crecer el cabello, pero nadie lograba convencerla. Le retiraron el cargo de directora de la Escuela Sabática, le retiraron el cargo de pianista de la iglesia, etc. Ninguna medida disciplinaria resolvía el problema. Ella decía que le gustaba el cabello corto, y no admitía discusiones.

Años después la encontré en un congreso laico, y lo primero que noté fue el lindo cabello largo que traía.

–¿No decías que no te gustaba el cabello largo? –le pregunté, recordando los malos momentos que me había hecho pasar.

Ella sonrió, y me respondió:

–Eh, pastor; en realidad, no me gustaba, pero estoy de novia con un joven al que amo mucho. A él le encanta el cabello largo, y ¿sabe? Ya me empezó a gustar también.

El asunto estaba resuelto. La solución había sido el amor. Ah, si la iglesia en aquellos tiempos la hubiera llevado a enamorarse de Cristo en lugar de quitarle los cargos, tal vez habría logrado lo que no había conseguido de aquella manera.

NO LLAMES "VISITA" A NADIE

Si alguien te invita a su casa a cenar y a tu llegada te dice que eres una visita, te estará diciendo que no eres parte de la familia; que has venido solo por esa vez, y que no te acostumbres a venir siempre. Ese es el mensaje que les transmites a las personas cuando las llamas "visitas".

Las personas que vienen por primera vez son parte de la familia; no las hagas sentirse ajenas. Llámalas "hermanas" o "hermanos", sin temor. Diles que son parte de la familia, y que hace mucho tiempo que las estábamos esperando. En una encuesta que hicimos en América del Sur hace varios años, les preguntamos a las personas que habían venido por primera vez a la iglesia qué era lo que menos les había gustado, y la mayoría de ellas respondió que no les había agradado que la llamaran "visita".

REUNIONES DE CONFRATERNIZACIÓN

Muchas iglesia tienen la bonita costumbre de almorzar en las instalaciones del templo para ese propósito. Cada familia lleva sus alimentos para compartirlos con las otras familias. Las personas que vienen por primera vez son invitadas a quedarse en la iglesia y participar del almuerzo.

Los hermanos deben ser conscientes de que en esos momentos los nuevos creyentes necesitan sentir el amor de la iglesia. El objetivo no es sentarse a almorzar al lado de los amigos de todos los sábados, sino buscar a las personas nuevas y sentarse junto a ellas haciéndolas sentirse parte de la familia. En esa convivencia, el nuevo converso es integrado casi sin notarlo.

Un día entró en la iglesia un hombre cuya vida estaba destruida. Había sido infiel a su esposa, y ella estaba dispuesta a poner un punto final al matrimonio. El hombre no sabía qué hacer, y en el momento de la desesperación aceptó la invitación de ir a la iglesia. Al finalizar el culto fue invitado a quedarse para el almuerzo, y como él había pedido a la iglesia que orara por su problema, un hermano que antes de aceptar a Jesús había pasado por un problema parecido se sentó a la mesa con este hombre, y de manera natural le contó su propia historia, mientras almorzaban. Le dijo que Dios había hecho por él lo que él no podía hacer solo, y que ahora él, su esposa y sus hijos eran una familia feliz.

Ese testimonio poderoso, sacado de la propia vida, y relatado durante el almuerzo, afirmó en el hombre el deseo de continuar estudiando la Biblia, y hoy es un discípulo formador de discípulos.

EL CARÁCTER DE LA IGLESIA

Hacer nuevos discípulos es simple si cada discípulo es consciente de su misión, sigue los métodos de Cristo y sale en busca de personas para conducirlas al Maestro. Pero, por otro lado, la iglesia es la iglesia de Dios si es una iglesia amorosa, misericordiosa, dispuesta a curar las heridas de las personas.

> "El verdadero carácter de la iglesia se mide, no por la alta profesión que haga, ni por los nombres asentados en sus libros, sino por lo que está haciendo realmente en beneficio del Maestro, por el número de sus obreros perseverantes y fieles. El interés personal y el esfuerzo vigilante e individual realizarán más por la causa de Cristo que lo que puede lograrse por los sermones o los credos" (*RH,* 6 de septiembre, 1881).

Esta cita es categórica. Menciona "el interés personal y el esfuerzo vigilante e individual" de cada miembro. El miembro que se involucra en esta bendita misión deja de ser un simple creyente y se transforma en un discípulo formador de nuevos discípulos.

Todo miembro, involucrado significa también el cumplimiento de la Gran Comisión (Mat. 28:19, 20). Estas son algunas ideas para involucrarse personalmente:

1. Acepta a las personas como son y no como te gustaría que sean.
2. Comparte tu testimonio con tus amigos. Diles cómo encontraste a Jesús, y lo que él significa para tu vida.
3. Sonríe y sé entusiasta acerca de tu fe en el Señor mientras compartes.

CAPÍTULO 7

EL DISCÍPULO Y LA BIBLIA

Un discípulo sigue al Maestro y hace lo que su maestro le enseña. Jesús es el Maestro, y una de sus primeras lecciones es la importancia de la Biblia en la vida del discípulo. Un día, dijo: "Ustedes escudriñan las Escrituras, porque les parece que en ellas tienen la vida eterna; ¡y son ellas las que dan testimonio de mí!" (Juan 5:39).

Es escudriñando las Escrituras donde el discípulo encuentra la vida eterna. El verbo escudriñar significa estudiar con dedicación. No es simplemente una lectura. Es una lectura meditativa, reflexiva y paciente. Requiere tiempo. No puede ser hecha en diez minutos. El Maestro nos enseñó la importancia del estudio de su palabra con su ejemplo. El discipulado no es un asunto de teoría sino de vida práctica.

> "En su niñez, juventud y adultez, Jesús estudió las Escrituras. En su infancia, su madre le enseñó diariamente conocimientos obtenidos de los pergaminos de los profetas. En su juventud, a la hora de la aurora y el crepúsculo, a menudo estuvo solo en la montaña o entre los árboles del bosque, para dedicar unos momentos a la oración y al estudio de la Palabra de Dios. Durante su ministerio, su íntimo conocimiento de las Escrituras dio testimonio de la diligencia con que las había estudiado. Y, puesto que él obtuvo su conocimiento del mismo modo en que podemos obtenerlo nosotros, su maravilloso poder mental y espiritual es una prueba del valor de la Biblia como medio educativo" (*Ed* 167).

En el desierto de la tentación, Jesús enseñó que no es posible vivir una vida victoriosa sin el conocimiento de la Biblia. La manera en que usó las Escrituras fue extraordinaria. El enemigo llegó a él con la Biblia abierta pero usándola fuera de su contexto, distorsionada, tratando de llevar a Jesús a desconfiar de la Palabra de Dios. Cualquier persona que no conociera bien las Escrituras sería fácil víctima de sus artimañas. No era el caso de Jesús. Y el Maestro derrotó al enemigo con la propia Escritura.

> "La palabra de Dios era para Cristo la garantía de su misión divina. Él había venido para vivir como hombre entre los hombres, y esta Palabra declaraba su relación con el Cielo. Era el propósito de Satanás hacerle dudar de esa Palabra. Si la confianza de Cristo en Dios podía ser quebrantada, Satanás sabía que obtendría la

> victoria en todo el conflicto. Vencería a Jesús. Esperaba que bajo el imperio de la desesperación y el hambre extrema Cristo perdería la fe en su Padre, y obraría un milagro en su propio favor. Si lo hubiera hecho, habría malogrado el plan de salvación" (*DTG* 61).

La garantía de la firmeza espiritual de los discípulos de Cristo, hoy, también se basa en la Palabra de Dios.

> "La familiaridad con las Escrituras agudiza la capacidad de discernimiento, y fortifica el alma contra los ataques de Satanás. La Biblia es la Palabra del Espíritu, que nunca dejará de vencer al adversario. Es el único verdadero guía en todos los asuntos de fe y de práctica. La razón por la cual Satanás tiene tanto control sobre la mente y el corazón de los hombres es que no han hecho de la Palabra de Dios su consejero, y todos sus caminos no han sido probados mediante la prueba verdadera. La Biblia nos mostrará el curso que debemos seguir para llegar a ser los herederos de la gloria" (*RH,* 4 de enero, 1881).

EL CONOCIMIENTO DE LA PALABRA

Un discípulo necesita conocer bien y confiar en la Palabra de Dios para formar otros discípulos. No se trata de un simple conocimiento teórico. Si poseo un título doctoral, paso la mayor parte de mi tiempo estudiando los misterios divinos y escribiendo sobre ellos, pero no vivo las verdades bíblicas, ni formo otro discípulo para Cristo, no soy un discípulo. Puedo ser un erudito, pero no un discípulo. Discípulo es aquel que conoce la Biblia para aplicarla a la propia vida y para discipular a otra persona.

A través del estudio diario de la Biblia desarrollamos el compañerismo con Jesús. El resultado es la transformación del discípulo a la semejanza de su Maestro. Pablo declara: "Por lo tanto, todos nosotros, que miramos la gloria del Señor a cara descubierta, como en un espejo, somos transformados de gloria en gloria en la misma imagen, como por el Espíritu del Señor" (2 Corintios 3:18).

El "mirar la gloria del Señor" no es una experiencia mística. No es un acto de meditación trascendental. Es una experiencia práctica de encuentro con Cristo a través de su Palabra.

> "Las grandes fuerzas motrices del alma son la fe, la esperanza y el amor; y a ellas se dirige el estudio de la Biblia, hecho debidamente. La hermosura exterior de las Escrituras –la belleza de las imágenes y la expresión– no es sino el engarce, por así decirlo, de su verdadera joya: la belleza de la santidad. En la historia de los hombres que anduvieron con Dios, podemos ver fulgores de su gloria. En el que es 'del todo amable' contemplamos a Aquel de quien toda la belleza del cielo y de la Tierra no es más que un pálido reflejo. 'Y cuando yo sea levantado de la tierra –dijo–, a todos atraeré a mí mismo'. A medida que el estudiante de la Biblia contempla al Redentor, se despierta en el alma el misterioso poder de la fe, la adoración y el amor. La mirada se fija en la visión de Cristo y el que observa se asemeja cada vez más a lo que adora" (*Ed* 172).

No existe un discípulo que crezca y sea transformado a la semejanza de su Maestro sin el estudio diario de la Palabra de Dios.

EL PROPÓSITO DE LAS ESCRITURAS

El propósito de las Escrituras es llevarnos a Jesús. Toda la Biblia apunta a Jesús. El propio Maestro lo demostró cuando, después de usar la Biblia en el desierto, "...fue a Nazaret, donde se había criado, y en el día de reposo entró en la sinagoga, como era su costumbre, y se levantó a leer las Escrituras. Se le dio el libro del profeta Isaías, y al abrirlo encontró el texto que dice: El Espíritu del Señor está sobre mí. Me ha ungido para proclamar buenas noticias a los pobres; me ha enviado a proclamar libertad a los cautivos, a dar vista a los ciegos, a poner en libertad a los oprimidos y a proclamar el año de la buena voluntad del Señor. Enrolló luego el libro, se lo dio al asistente, y se sentó. Todos en la sinagoga lo miraban fijamente. Entonces él comenzó a decirles: Hoy se ha cumplido esta Escritura delante de ustedes" (Lucas 4:16-21).

¿Notas que Jesús sabía que las Escrituras apuntaban hacia él? Por eso dijo que debemos escudriñar las Escrituras para tener vida eterna. La vida eterna es el resultado de conocerlo. "Y ésta es la vida eterna: que te conozcan a ti, el único Dios verdadero, y a Jesucristo, a quien has enviado" (Juan 17:3).

> "Así fue como los primeros discípulos se hicieron semejantes a nuestro Salvador. Cuando ellos oyeron las palabras de Jesús, sintieron su necesidad de él. Lo buscaron, lo encontraron, lo siguieron. Estaban con él

> en la casa, a la mesa, en su retiro, en el campo. Estaban con él como discípulos con un maestro, recibiendo diariamente de sus labios lecciones de santa verdad. Lo miraban como los siervos a su señor, para aprender sus deberes. Aquellos discípulos eran hombres sujetos 'a las mismas debilidades que nosotros' (Santiago 5:17). Tenían la misma batalla con el pecado. Necesitaban la misma gracia, a fin de poder vivir una vida santa" (*CC* 53).

La experiencia de los discípulos de los tiempos de Cristo puede ser también la nuestra, hoy.

DIFICULTADES EN EL CAMINO

La alimentación del cristiano es la Palabra de Dios. El discípulo que intente seguir a Jesús sin meditar en la Biblia todos los días está condenado a muerte espiritual. Así como una persona necesita alimentarse físicamente todos los días para mantenerse saludable, necesita también alimentarse espiritualmente. Pablo dice: "Por lo tanto, echen mano de toda la armadura de Dios para que, cuando llegue el día malo, puedan resistir hasta el fin y permanecer firmes" (Efesios 6:13).

El estudio diario de la Biblia es parte de la armadura divina. Pero el problema es que a la naturaleza pecaminosa no le gusta el compañerismo con Dios. Prefiere hacer cualquier cosa menos permanecer a los pies de Cristo. Pero un discípulo jamás llegará al fin de su jornada a menos que aprenda a alimentarse espiritualmente. Y, si lo hace, no será porque sea fácil, sino porque decida voluntariamente hacerlo.

RESPETO POR LAS ESCRITURAS

Otro asunto que debemos mencionar es el respeto que Jesús tenía por las Escrituras. Observa lo que él mismo dijo: "No piensen ustedes que he venido para abolir la ley o los profetas; no he venido para abolir, sino para cumplir. Porque de cierto les digo que, mientras existan el cielo y la tierra, no pasará ni una jota ni una tilde de la ley, hasta que todo se haya cumplido. De manera que, cualquiera que quebrante uno de estos mandamientos muy pequeños, y así enseñe a los demás, será considerado muy pequeño en el reino de los cielos; pero cualquiera que los practique y los enseñe, será considerado grande en el reino de los cielos" (Mateo 5:17-19).

En estos versículos, Jesús se refiere a "la ley y los profetas". Así se le llamaba a la Biblia del Antiguo Testamento. La Ley estaba formada por los cinco libros del Pentateuco, y los profetas eran los libros proféticos mayores y menores. Jesús dijo "No he venido para abolir lo que está escrito, sino a cumplir".

Jesús era Dios, uno con el Padre y con el Espíritu Santo. Si alguien tenía autoridad para cambiar algo de lo que estaba escrito, era él. Pero no lo hizo. Respetó en todo tiempo las Escrituras.

Cuando alguien le preguntaba algo, no respondía con sus propias palabras, sino que usaba las declaraciones bíblicas para responder. Él podía haber dado sus propias respuestas, pero no lo hizo. Citaba las Escrituras para mostrar el valor y la autoridad de ellas. En los cuatro evangelios, encontramos que Jesús citó más de cuatrocientas veces las Escrituras. Por lo tanto, un discípulo verdadero necesita respetar las Escrituras. Respetar el contexto y no citar a la Biblia, fuera del contexto, como lo hizo Satanás en el desierto.

El discípulo hace lo que su Maestro le enseña, y si Jesús respetó las Escrituras, el verdadero discípulo también lo hará.

LA EXPOSICIÓN DE SU PALABRA

Pero Jesús no usó las Escrituras solo en su vida diaria y en su diálogo con las personas, sino también en la predicación. En el Sermón del Monte, por ejemplo, repitió muchas veces la expresión "Oísteis que fue dicho… pero yo os digo". Jesús dirigía la mente de sus oyentes hacia las Escrituras. "Oísteis que fue dicho". Él no cambiaba nada. Y, sin embargo, le daba un nuevo significado. "Pero yo os digo".

El legalismo había hecho que los principios eternos se volviesen apenas reglamentos sin vida. Ellos vivían preocupados solo por la apariencia de las cosas. Condenaban el adulterio. ¡Hay de la persona que fuese encontrada en adulterio! Era apedreada en la plaza pública hasta morir. Pero nadie se preocupaba por el principio de la fidelidad y de la pureza. Todo el mundo se cuidaba para no ser visto, pero nadie vigilaba su corazón, ni su mente. Ambos estaban llenos de inmundicia e inmoralidad.

Los mismos fariseos que miraban a la mujer adúltera para condenarla la miraban al mismo tiempo con ojos libidinosos, para codiciarla. Hasta que llegó Jesús. Él no vino para cambiar lo que estaba escrito. "Oísteis que fue dicho", repitió muchas veces. "Pero yo os digo". Es decir, yo le doy un nuevo significado a lo que ya fue escrito. Un significado de vida que la letra ha perdido.

Jesús vino al mundo a conquistar corazones y crear nueva vida. Los judíos miraban los Mandamientos como prohibiciones u obligaciones: "No matarás" (porque si matas, morirás). Pero Jesús enseñaba: (Si me amas) "No matarás". Era lo mismo, pero diferente. La diferencia la hacía el amor.

DISCÍPULOS PREDICADORES

Aquí encontramos también una advertencia para los discípulos predicadores. Nuestra misión es predicar usando la Biblia, pero dándole vida, significado y relevancia. ¿Por qué un libro tan antiguo tendría importancia para las personas que viven hoy? Esa es la misión del predicador. Comenzar con las Escrituras, pero no quedarse hablando del pasado, de la historia, de la geografía, o de la arqueología de aquellos tiempos, sino sacar lecciones de vida para los dramas y los problemas que el ser humano de nuestros días enfrenta. Es la misión de los discípulos de hoy.

FORMANDO DISCÍPULOS CON LA PALABRA

Jesús no usaba la Escritura solamente en la predicación pública. La usaba también en el ministerio personal, cuando hablaba con una o dos personas. Lo hizo repetidas veces. Su autoridad no radicaba solo en su carisma personal, sino en el hecho de que usaba la Palabra de Dios como base de cualquier cosa que decía.

Uno de los ejemplos más expresivos tal vez sea su encuentro con dos discípulos en el camino a Emaús, después de su resurrección. Los discípulos regresaban tristes de Jerusalén. Creían que Jesús había muerto y que todas las esperanzas que habían depositado en el Mesías se habían ido cuesta abajo. Entonces apareció Jesús, y les dijo: "¡Ay, insensatos! ¡Cómo es lento su corazón para creer todo lo que los profetas han dicho! ¿Acaso no era necesario que el Cristo padeciera estas cosas, antes de entrar en su gloria? Y partiendo de Moisés, y siguiendo por todos los profetas, comenzó a explicarles todos los pasajes de las Escrituras que hablaban de él" (Lucas 24:25-27).

Jesús los llevó a las Escrituras y les mostró que no había motivo para desesperar. Les dijo que lo que parece derrota, en realidad, era el comienzo de la victoria. Y ellos más adelante dijeron: "¿No ardía nuestro corazón cuando él nos hablaba de las Escrituras?" Ese es el resultado cuando un discípulo usa las Escrituras.

LECCION APRENDIDA

Los discípulos también aprendieron a usar las Escrituras como base de su enseñanza. El verdadero discípulo usa las Escrituras para apoyar sus declaraciones. Observa el ejemplo de Pedro cuando llegó el momento de sustituir a Judas.

Jesús ya se había ido y ellos estaban ante un problema. ¿Cómo lo resolverían? "Uno de esos días Pedro se puso de pie, en medio de los hermanos (que estaban reunidos y eran como ciento veinte), y dijo: 'Hermanos míos, tenía que cumplirse la Escritura, donde por boca de David se dice que el Espíritu Santo habló acerca de Judas, el que guio a los que prendieron a Jesús. Nosotros lo considerábamos como uno de los nuestros, porque era parte de este ministerio' " (Hechos 1:15-17).

Pero no fue solo Pedro. Todos los apóstoles usaban las Escrituras con equilibrio y sabiduría. Hay 350 referencias del

Antiguo Testamento en los escritos de los apóstoles. Ellos respetaron y usaron las Escrituras. Y, con esa actitud, nos enseñaron que un verdadero discípulo es aquel que conoce la Biblia, la estudia diariamente, la aplica a su experiencia personal, la usa en la predicación y en los momentos en que es preciso tomar decisiones.

La Palabra de Dios tiene un poder extraordinario. Cuando no existía nada, por el poder de su Palabra fueron creados los cielos y la Tierra. "Él dijo y fue hecho. Él mandó y existió", dice el salmista. Cuando Jesús estuvo en la Tierra, por el poder de su Palabra también hizo andar paralíticos, resucitó muertos, curó leprosos. Hoy, tenemos con nosotros la Palabra escrita. Y con ella podemos hacer maravillas en la vida de los seres humanos. Por eso, Pablo aconseja: "Procura con diligencia presentarte ante Dios aprobado, como obrero que no tiene de qué avergonzarse y que usa bien la palabra de verdad. Pero evita las palabrerías vanas y profanas, porque más y más conducen a la impiedad" (2 Timoteo 15:15, 16).

¿Quisieras ser el discípulo aprobado de hoy?

TMI **Todo miembro, involucrado** se compara con un mendigo que le dice a otro mendigo dónde encontrar el pan. Estas son algunas ideas para involucrarse personalmente:

1. Invierte tiempo leyendo la Palabra de Dios. Medita en la Palabra y aprende todo lo que puedas de la fuente de la verdad.
2. Enseña la Palabra a tus amigos. Enseña en un seminario bíblico u organiza una reunión de evangelización.
3. Prepara pan y compártelo con tus vecinos.

EL DISCÍPULO Y LA ORACIÓN

SER UN DISCÍPULO DE JESÚS SIGNIFICA SEGUIRlo y andar con él. No es una experiencia mística, o romántica, sino real y práctica: estudiar la Biblia todos los días, formar a otro discípulo y conversar con Jesucristo a través de la oración.

La oración es para la vida espiritual como la respiración para la vida física. La Sierva del Señor dice al respecto:

> "La oración cotidiana es esencial para crecer en la gracia, y aun para la vida espiritual misma, así como el alimento físico es indispensable para el bienestar temporal. Debemos acostumbrarnos a elevar a menudo nuestros pensamientos en oración a Dios. Si la mente divaga, debemos traerla de vuelta; mediante el esfuerzo perseverante, se transformará por fin en algo habitual. Ni por un momento podemos separarnos de Cristo sin

peligro. Podemos tener su presencia que nos ayude a cada paso únicamente si respetamos las condiciones que él mismo ha establecido" (*MJ* 112, 113).

El Señor Jesús enseñó que no existe vida cristiana sin oración. Nosotros, como discípulos, necesitamos aprender a orar mucho más de lo que oramos comúnmente. El drama que enfrentamos es que con nuestra naturaleza egoísta hasta nuestras oraciones están manchadas de egoísmo. Oramos la mayor parte del tiempo pidiendo que Dios resuelva nuestros problemas, que nos sane, que nos ayude, que nos cuide.

No creo que esto sea malo, pero cuando la oración se limita a pedir, pedir y pedir, algo no encaja bien en la experiencia cristiana. El verdadero discípulo debe orar mucho, pero no solo por él. Un ejemplo es Daniel.

EL EJEMPLO DE DANIEL

En Daniel 9, encontramos una oración intercesora. Si lees toda la oración, verás que en ningún momento Daniel pide por sí mismo. Su oración es en favor del pueblo de Israel. "Dios nuestro, ¡oye la oración de este siervo tuyo! ¡Oye sus ruegos, Señor, y por tu amor, haz resplandecer tu rostro sobre tu derruido santuario! ¡Inclina, Dios mío, tu oído, y escúchanos! ¡Abre tus ojos, y mira nuestra desolación y la ciudad sobre la que se invoca tu nombre! ¡A ti elevamos nuestros ruegos, no porque confiemos en nuestra justicia sino porque confiamos en tu gran misericordia!" (Daniel 9:17, 18).

Cuando Daniel hizo esta oración, el pueblo de Judá vivía dominado por el Imperio Babilónico. La ciudad de Jerusalén se encontraba en ruinas; el Templo, que simbolizaba la presencia de Dios, se encontraba semidestruído, y Daniel oraba por su pueblo y por la restauración de la ciudad.

Sin duda, como cualquier ser humano, el profeta enfrentaba dificultades personales, pero su preocupación por la ciudad y por los israelitas era mucho más grande que sus propios problemas.

EL EJEMPLO DE JOB

El patriarca también enfrentaba terribles dificultades. Había perdido todo, se encontraba en la miseria, enfermo y sin saber qué hacer. ¿Crees que en esas circunstancias sería errado orar para que Dios lo ayudara? Claro que no, y sin duda Job pidió muchas veces que Dios lo ayudara a salir de esos problemas, pero aparentemente nada sucedió. Entonces, cambió la orientación de su oración, y empezó a interceder por sus amigos. Observa el resultado: "Después de que Job rogó por sus amigos, el Señor sanó también la aflicción de Job y aumentó al doble todo lo que Job había tenido" (Job 42:10).

Nota la expresión "el Señor sanó también la aflicción de Job". Quiere decir, Dios atendió la oración del profeta en favor de sus amigos, pero atendió también a Job. Ese es el valor de la oración intercesora.

"Esforcémonos para caminar en la luz así como Cristo está en la luz. El Señor quitó la aflicción de Job cuando él oró no solo por sí mismo sino también por los que se le

> oponían. Cuando deseó fervientemente que se ayudara a las almas que habían pecado contra él, [entonces] él mismo recibió ayuda. Oremos no solo por nosotros mismos sino también por los que nos han hecho daño y continúan perjudicándonos. Orad, orad sobre todo mentalmente. No deis descanso al Señor; pues sus oídos están abiertos para oír las oraciones sinceras, insistentes, cuando el alma se humilla ante él" (3*CBA* 1.159, 1.160).

El verdadero discípulo debe ser un hombre o una mujer de oración. Puede pedir en su favor, pero debe también orar en favor de otros, especialmente en favor de las personas que desea llevar a los pies de Cristo.

> "Al procurar ganar a otros para Cristo, llevando la preocupación por las almas en nuestras oraciones, nuestros propios corazones palpitarán bajo la vivificante influencia de la gracia de Dios; nuestros propios afectos resplandecerán con más divino fervor; nuestra vida cristiana toda será más real, más ferviente, más llena de oración" (*PVGM* 289).

INTERCESORES DE ORACIÓN

Jesús sabía que los discípulos, por más bien intencionados que fueran, estarían condenados a la derrota si enfrentaran el camino de la vida cristiana solos. Por eso, oró por nosotros. "El Señor dijo también: Simón, Simón, Satanás ha pedido sacudirlos a ustedes como si fueran trigo; pero yo he rogado por ti, para que no te falte la fe. Y tú, cuando hayas vuelto, deberás confirmar a tus hermanos" (Luc. 22:31, 32).

En este texto hay dos pensamientos. Primero, Jesús sintió compasión por Pedro y por sus otros discípulos, y oró por ellos. A Pedro, le dijo: "Yo he rogado por ti, para que no te falte la fe". Después le da una orden: "Y tú, cuando hayas vuelto, deberás confirmar a tus hermanos". Pedro, el discípulo, debe confirmar a sus hermanos, los otros discípulos. Debe preocuparse por la vida espiritual de sus hermanos, debe ser un intercesor de oración en favor de sus hermanos.

La oración intercesora ayuda a crecer espiritualmente al discípulo que la practica. Si no estás ocupado en discipular a otra persona, lógicamente tampoco estarás preocupado por orar por ella. Pero, cuando empiezas a orar por alguien, te olvidas de tus propios problemas y tienes la impresión de que pasaste poco tiempo con Dios, cuando en realidad empleaste mucho tiempo sin sentirlo, porque estuviste preocupado por clamar por la otra persona.

NO SIENTO GANAS DE ORAR

El problema de la mayoría de los cristianos es que todos sabemos que necesitamos orar pero no sentimos ganas de hacerlo. ¿Por qué? Por causa de nuestra naturaleza pecaminosa. A pesar de haber sido convertidos y de seguir a Jesús, continuamos siendo seres pecadores, y a la naturaleza pecaminosa no le gusta el compañerismo con Dios. Por lo tanto, si vamos a orar, no será porque tengamos ganas de hacerlo, sino a pesar de no sentir ganas.

El Maestro nos enseñó esta lección. Él, por el hecho de ser Dios, podría vivir una vida victoriosa sin la ayuda de su Padre, pero no lo hizo. Jesús no vino al mundo solo para enseñarnos que debemos vencer la tentación sino también cómo vencerla. La columna vertebral de ese cómo es la oración. Por eso se levantaba muy de mañana, o se apartaba de las multitudes, tarde por la noche, y se retiraba a un lugar solitario para conversar con su Padre.

A veces pasaba la noche entera en oración, pero a la mañana siguiente regresaba del monte de la oración lleno de poder. El poder que Jesús usó para vencer la tentación y para realizar las obras prodigiosas que hizo fue el resultado de su vida de oración. Él no usó su poder divino. Al venir a la Tierra, había hecho un convenio con su Padre. No usaría su poder divino sin el consentimiento del que lo había enviado.

> "Si los que hacen oír las solemnes notas de amonestación para este tiempo pudiesen comprender cuán responsables son ante Dios, verían la necesidad que tienen de la oración ferviente. Cuando las ciudades eran acalladas en el sueño de la medianoche, cuando cada hombre había ido a su casa, Cristo, nuestro Ejemplo, se dirigía al monte de las Olivas, y allí, en medio de los árboles que lo ocultaban, pasaba toda la noche en oración. El que no tenía mancha de pecado, el que era alfolí de bendición, Aquel cuya voz oían a la cuarta vela de la noche, cual bendición celestial, los aterrorizados discípulos en medio de un mar tormentoso, y cuya

> palabra levantaba a los muertos de sus sepulcros, era el que hacía súplicas con fuerte clamor y lágrimas. No oraba por sí, sino por aquellos a quienes había venido a salvar. Al convertirse en suplicante, y buscar de la mano de su Padre nueva provisión de fuerza, salía refrigerado y vigorizado como Sustituto del hombre, identificándose con la humanidad doliente y dándole un ejemplo de la necesidad de la oración" (*LO* 18).

La sierva del Señor dice que orar es abrir el corazón a Dios como a un amigo. Por lo tanto, el verdadero discípulo conversa con Jesús como si estuviese conversando con un amigo. ¿De qué conversan los amigos? De todo. La oración no tiene como propósito informarle a Dios nuestras necesidades. Él sabe lo que necesitamos antes de que se lo pidamos. El propósito de la oración es mantener comunión con el Padre y recibir su poder para vivir una vida de victoria.

> "En la oración privada, el alma está libre de las influencias del ambiente, libre de excitación. Tranquila pero fervientemente se elevará la oración hacia Dios. Dulce y permanente será la influencia que dimana de Aquel que ve en lo secreto, cuyo oído está abierto a la oración que brota del corazón. Por una fe sencilla y serena, el alma se mantiene en comunión con Dios, y recoge los rayos de la luz divina para fortalecerse y sostenerse en la lucha contra Satanás. Dios es el castillo de nuestra fortaleza" (*CC* 99).

Hace un tiempo, un hombre me dijo que no tenía fuerza de voluntad para orar. Hay mucha gente como este señor que no ora porque piensa que no tiene fuerza de voluntad. Pero esas mismas personas se levantan a las cuatro de la mañana para ir a trabajar. Quiere decir que sí tienen fuerza de voluntad, solo que la orientan para las cosas de esta vida. No para cosas que realmente valen.

> "Oremos mucho más cuanto menos sintamos la inclinación de tener comunión con Jesús. Si así lo hacemos, quebraremos las trampas de Satanás, desaparecerán las nubes de oscuridad y gozaremos de la dulce presencia de Jesús" (*EJ* 366).

¿TODO LO QUE LE PIDAS?

En cierta ocasión, Jesús dijo: "Pidan, y se les dará, busquen, y encontrarán, llamen, y se les abrirá. Porque todo aquel que pide, recibe, y el que busca, encuentra, y al que llama, se le abre. ¿Quién de ustedes, si su hijo le pide pan, le da una piedra? ¿O si le pide un pescado, le da una serpiente? Pues si ustedes, que son malos, saben dar cosas buenas a sus hijos, ¡cuánto más su Padre que está en los cielos dará buenas cosas a los que le pidan!" (Mateo 7:7-11).

Estos versículos confunden a mucha gente. Aquí Jesús promete que dará a sus hijos todo lo que ellos le pidan. En otra ocasión, dijo algo mucho más contundente. "Una vez más les digo, que si en este mundo dos de ustedes se ponen de acuerdo en lo que piden, mi Padre, que está en los cielos, se lo concederá" (Mateo 18:19).

Entonces, ¿por qué Dios no responde todas las oraciones? Tal vez deberíamos preguntarnos de otra manera. ¿Cuál es el propósito de la oración? El propósito es cultivar el compañerismo con Dios. Es a través de la oración que nuestro egoísmo se pierde en la abnegación divina, nuestras pasiones humanas caen como hojas secas y florece en nosotros el carácter de Jesucristo.

Andar de la mano con Jesús, hacer de Jesús el centro de nuestra experiencia diaria, vivir cada día con Jesús; estas y otras expresiones románticas se traducen en una actitud práctica llamada oración. El resultado de eso es que aprendemos a contemplar la vida de una manera diferente y percibimos que existen cosas más importantes que apenas la comida y el vestido. Esto no significa que vayamos a mistificar la vida, al punto de pensar que no necesitamos trabajar, ni comer. Dios se preocupa por las cosas materiales que necesitamos, pero desea llevarnos a una experiencia de fe. Pero, cuidado. La fe no es presunción. La fe es confianza en Dios aunque las cosas no salgan como muchas veces deseamos.

> "Los creyentes que se vistan con toda la armadura de Dios, y que dediquen algún tiempo diariamente a la meditación, la oración y el estudio de las Escrituras, se vincularán con el Cielo y ejercerán una influencia salvadora y transformadora sobre los que los rodean. Suyos serán los grandes pensamientos, las nobles aspiraciones y las claras percepciones de la verdad y el deber para con Dios. Anhelarán la pureza, la luz, el amor y todas las gracias de origen celestial. Sus sinceras oraciones penetrarán a través del velo. Esta clase de personas poseerá una confianza santificada para comparecer ante

la presencia del Infinito. Tendrán conciencia de que la luz y la gloria del cielo son para ellos, y se convertirán en personas refinadas, elevadas y ennoblecidas por causa de esta asociación íntima con Dios. Tal es el privilegio de los verdaderos cristianos" (*5T*/105, 106).

DISCÍPULOS DE ORACIÓN

Si revisas la vida de la iglesia y de los apóstoles en los siglos primero y segundo, te darás cuenta de que ellos habían aprendido del Maestro. Claro que oraban por sus propias necesidades materiales y espirituales, pero encontrarás innúmeras veces en las que ellos oraban en favor de otros, incluso de los gobernantes. La vida de la iglesia primitiva fue una vida de permanente oración en favor de otras personas. Y ¿cuál fue el resultado? La iglesia creció de una manera asombrosa, los poderes del mal temblaban, la fidelidad de la iglesia era tal que los primeros cristianos no tenían miedo de morir en los circos, y a pesar de todas las dificultades continuaban cumpliendo la misión.

Necesitamos aprender del Maestro Jesús. Somos sus discípulos, y un verdadero discípulo vive como su maestro vivió. Necesitamos ser muy cuidadosos al pensar que porque las estadísticas van aparentemente bien estamos bien espiritualmente.

"Al aumentar la actividad, si los hombres tienen éxito en ejecutar algún trabajo para Dios, hay peligro de que confíen en los planes y los métodos humanos. Tienden a orar menos y a tener menos fe. Como los discípulos, corremos el riesgo de perder de vista cuánto dependemos de Dios y tratar de hacer de nuestra actividad un salvador. Necesitamos mirar constantemente a Jesús, comprendiendo que es su poder lo que realiza la obra. Aunque hemos de trabajar fervorosamente para la salvación de los perdidos, también debemos tomar tiempo para la meditación, la oración y el estudio de la Palabra de Dios. Es únicamente la obra realizada con mucha oración y santificada por el mérito de Cristo la que al fin habrá resultado eficaz para el bien" (*DTG* 329).

Todo miembro, involucrado significa oración intercesora. Estas son algunas ideas para involucrarse personalmente:

1. Comienza tu día con oración. Memoriza una promesa de la Biblia.
2. Ora por cinco personas que quieras ver en el cielo.
3. Pídele a Dios que te ayude a encontrar una necesidad en la comunidad y a satisfacer esa necesidad.

LA ESPERA Y LA MISIÓN

ESPERAR A ALGUIEN DE BRAZOS CRUZADOS ES una experiencia abrumadora. La ansiedad se mezcla con la expectativa; y la duda, con la incertidumbre. El cansancio consume lentamente a la esperanza, y el futuro se muestra incierto y sin perspectivas.

Los discípulos de Cristo no pueden esperar a su Maestro mirando al cielo y contando los días para el reencuentro sin correr el riesgo de extraviarse en los recovecos de la especulación.

EL SEÑOR NO RETARDA SU PROMESA

El pueblo adventista es fruto de la esperanza. Los pioneros esperaban a Jesús con ansiedad. Creían que el Salvador se manifestaría en sus días. Predicaban el evento de los siglos con pasión y dedicación. Pero ya han pasado casi dos siglos y Jesús no ha regresado.

Sin embargo, la esperanza no es apenas un patrimonio de nuestros pioneros. Los discípulos en la iglesia primitiva también alimentaban su fe con la esperanza de ver a Jesús en gloria. Ellos creían que Jesucristo retornaría en sus días. Más aún. La "Bienaventurada esperanza" ha movido e inspirado la fe de los creyentes de todos los tiempos.

Enoc, en sus días, reveló esta verdad profética: "Acerca de ellos profetizó también Enoc, el séptimo en orden a partir de Adán, y dijo: ¡Miren! El Señor viene con sus miríadas de santos. Viene para juzgar a todos, y condenará a todos los impíos por todas las malas obras que en su impiedad han cometido, y por todas las insolencias que los pecadores e impíos han lanzado contra él" (Judas 14, 15). Enoc era un discípulo fiel y verdadero. Los discípulos esperan el regreso de su Maestro, pero no lo hacen de brazos cruzados.

> "Enoc crecía en espiritualidad a medida que se comunicaba con Dios. Su rostro irradiaba un fulgor santo que perduraba mientras instruía a los que escuchaban sus palabras llenas de sabiduría. Su apariencia digna y celestial llenaba de reverencia a la gente. El Señor amaba a Enoc porque este lo seguía consecuentemente, aborrecía la iniquidad y buscaba con fervor el conocimiento celestial para cumplir a la perfección la voluntad divina. Anhelaba unirse aún más estrechamente a Dios, a quien temía, reverenciaba y adoraba. El Señor no podía permitir que Enoc muriera como los demás hombres; envió pues a sus ángeles para que se lo llevaran al cielo sin que experimentara la muerte. En presencia de los justos y los impíos, Enoc fue retirado de entre ellos. Los que lo amaban pensaron que Dios podía haberlo dejado en

alguno de los lugares donde solía retirarse, pero después de buscarlo diligentemente, en vista de que no lo pudieron encontrar, informaron que no estaba en ninguna parte, pues el Señor se lo había llevado" (*HR* 60).

Enoc fue trasladado por Dios sin conocer la muerte, pero la promesa de la venida de Cristo sigue vigente, sin embargo. ¿Por qué Jesús no ha venido todavía a pesar de la expectativa de su pueblo y del anuncio inminente de los escritores bíblicos? Tal vez la respuesta esté en el elemento sorpresa que acompaña a su venida. Dios desea que su pueblo esté preparado en todo momento y no que se prepare solamente porque el día está llegando.

EL ELEMENTO SORPRESA

Si revisamos lo que los escritores bíblicos dijeron respecto del regreso de Jesús, percibiremos que ellos anunciaron el día del Señor como un evento súbito e inesperado. Jesús dijo: "Por tanto, estén atentos, porque no saben a qué hora va a venir su Señor" (Mateo 24:42). "Pero tengan cuidado de que su corazón no se recargue de glotonería y embriaguez, ni de las preocupaciones de esta vida, para que aquel día no les sobrevenga de repente. Porque caerá como un lazo sobre todos los que habitan la faz de la tierra. Por lo tanto, manténganse siempre atentos, y oren para que se les considere dignos de escapar de todo lo que habrá de suceder, y de presentarse ante el Hijo del Hombre" (Lucas 21:34-36).

El énfasis de Jesús no fue sobre el día, ni la hora, sino sobre la preparación de sus discípulos para el gran día. El apóstol Pablo escribió lo mismo: "Ustedes saben perfectamente que el día del Señor llegará como ladrón en la noche" (1 Tesalonicenses 5:2).

LA PERSPECTIVA DEL TIEMPO

Sin embargo, Pedro es quien mejor explica la razón de la aparente demora y la manera correcta de vivir para no ser dominados por el vacío de la expectativa por la simple expectativa. Él escribió lo siguiente: "Pero antes deben saber que en los días finales vendrá gente blasfema, que andará según sus propios malos deseos y que dirá: ¿Qué pasó con la promesa de su venida? Desde el día en que nuestros padres murieron, todas las cosas siguen tal y como eran desde el principio de la creación... Pero no olviden, amados hermanos, que para el Señor un día es como mil años, y mil años como un día" (2 Pedro 3:3, 4, 8).

Para el ser humano, que en la mejor de las hipótesis vive hoy cien años, la venida de Cristo está demorando demasiado. Pero ¿qué significa ese tiempo para la eternidad de Dios? "Para el Señor un día es como mil años, y mil años como un día". Esta declaración, originalmente, no la hizo Pedro para explicar las profecías de tiempo sino para explicar la aparente demora de Jesús, en vista de que los burladores preguntan: "¿Qué pasó con la promesa de su venida?"

Pedro explica las perspectivas de tiempo de Dios y del hombre. Dice que lo que para el ser humano parece demora, en realidad, no lo es. Y después añade que: "El Señor no se tarda para cumplir su promesa, como algunos piensan, sino que nos tiene paciencia y no quiere que ninguno se pierda, sino que todos se vuelvan a él" (2 Pedro 3:9).

LA MANERA CORRECTA DE ESPERAR

¿Cuál es la mejor manera de esperar a Jesús? Hay un dicho que reza: "El que espera desespera". La mejor manera de esperarlo no es mirando al reloj constantemente, ni tratando de descubrir el día, o la hora. Jesús mismo lo dijo ante la preocupación de los discípulos por saber cuándo iban a suceder las cosas: "Entonces los que estaban reunidos con él le preguntaron: Señor, ¿vas a devolverle a Israel el reino en este tiempo? Y él les respondió: No les toca a ustedes saber el tiempo ni el momento, que son del dominio del Padre. Pero cuando venga sobre ustedes el Espíritu Santo recibirán poder, y serán mis testigos en Jerusalén, en Judea, en Samaria, y hasta lo último de la tierra" (Hechos 1:6-8).

En esta declaración, el Maestro enseña que la mejor manera de esperarlo es siendo testigos suyos y cumpliendo la misión. Lo voy a ilustrar de la siguiente manera: supongamos que yo te pido que me esperes mañana en la plaza de la ciudad. No te digo a qué hora; simplemente, te advierto que apareceré en cualquier momento. Me despido y me voy.

Tú llegas a la plaza bien temprano, te sientas en un banco y empiezas a mirar hacia todos los lados. Pasa una hora, y la expectativa aumenta; sigues observando con ansiedad para todos los lados pero yo no aparezco. Tres horas después, estás allí, cansado, mirando constantemente al reloj y esperando con ansiedad que yo aparezca. El tiempo parece no pasar, los minutos se hacen horas. Estás con hambre y sed, pero yo no aparezco.

Ya son las seis de la tarde. Has estado esperándome desde las seis de la mañana. Doce horas de espera es mucho tiempo. La nuca te duele de tanto mirar a uno y otro lado, y finalmente llegas a la conclusión de que no vendré más, y te retiras. Un minuto después de que das vuelta por la esquina yo aparezco, pero desgraciadamente tú ya te fuiste. Esperaste para nada. Te desesperaste y te frustraste. Tu esperanza se hizo agua. Perdiste el día esperando de brazos cruzados, y nada sucedió.

ESPERAR Y TRABAJAR

Pero ahora pensemos en otro cuadro. Te digo que me esperes mañana en la plaza de la ciudad, pero te doy una misión. Mientras yo no llegue, tú cumple la misión. Hay diez cajas enormes de caramelos para envolver. Allí están los caramelos y los papeles. A las seis de la mañana empiezas el trabajo con ahínco y dedicación. Desde la perspectiva humana, es imposible que termines el trabajo. Pero no sabes que yo no te di la misión porque no pueda hacer ese trabajo de otra manera, sino porque tú necesitas mantenerte ocupado para que la espera no te resulte tediosa y desesperante.

Tú llegas a las seis de la mañana y te concentras en el cumplimiento de la misión. No sientes correr el tiempo. En vez de mirar al reloj, observas que te falta mucho para concluir el trabajo que te encomendé. No paras. Continúas. Y, sorpresivamente, yo te coloco la mano en el hombro. Tú me miras asombrado. Son las seis de la tarde.

–¿Ya llegó?

–Sí, ya llegué.

–No sentí el tiempo pasar.

–Claro que no lo sentiste. Estabas más preocupado por cumplir la misión que por mirar el reloj.

SI DEMORA, ESPÉRALO

El consejo de Pedro es: "Puesto que todo será deshecho, ustedes deben vivir una vida santa y dedicada a Dios, y esperar con ansias la venida del día de Dios. Ese día los cielos serán deshechos por el fuego, y los elementos se fundirán por el calor de las llamas" (2 Pedro 3:11, 12). Más adelante, dice: "Por eso, amados hermanos, mientras esperan que esto suceda, hagan todo lo posible para que Dios los encuentre en paz, intachables e irreprensibles" (2 Pedro 3:14).

Observa la expresión "mientras esperan que esto suceda". Se refiere a la Venida de Cristo. ¿Cómo se vive esa vida santa, intachable e irreprensible mientras esperamos a Jesús? Evidentemente, quien espera es la iglesia gloriosa y sin mancha de la que habla Pablo. Esta es la iglesia que refleja el carácter de Jesús. ¿Cómo podemos preparar a esa iglesia para el encuentro con Jesús?

En el capítulo 6 de la epístola de Pablo a los Efesios, el apóstol presenta los instrumentos que Dios dejó para edificar a esa iglesia: "Por tanto, tomad toda la armadura de Dios, para que podáis resistir en el día malo, y habiendo acabado todo, estar firmes. Estad, pues, firmes, ceñidos vuestros lomos con la verdad, y vestidos con la coraza de justicia, y calzados los pies con el apresto del evangelio de la paz. Sobre todo, tomad el escudo de la fe, con que podáis apagar todos los dardos de fuego del maligno. Y tomad el yelmo de la salvación, y la espada del Espíritu, que es la palabra de Dios; orando en todo tiempo con toda oración y súplica en el Espíritu, y velando en ello con toda perseverancia y súplica por todos los santos" (Efesios 6:13-18).

La iglesia que haga uso de estas armas podrá "resistir en el día malo, y habiendo acabado todo" estará firme, reflejando la gloria de Dios. Una iglesia a toda prueba. Esa es la afirmación del apóstol. Y los instrumentos para alcanzar esa experiencia son la verdad, la justicia, el apresto del evangelio de la paz, la fe, la salvación, la Palabra de Dios y la oración.

Permíteme, sin embargo, dividir estos instrumentos en dos grupos. En el primero, voy a colocar a la verdad, la justicia, la fe y la salvación. Estos cuatro son instrumentos divinos colocados en las manos de los seres humanos, pero la participación humana es apenas la de aceptar o rechazar.

Los últimos tres: la oración, el estudio diario de la Biblia y el apresto del evangelio de la paz, son también instrumentos divinos, pero solo funcionan si el ser humano los pone en práctica. Su participación en el uso de estos instrumentos es mucho más activa. Explico mejor. Tú y yo no podemos hacer nada para modificar la verdad, la justicia, la fe y la salvación, a no ser aceptarlas o rechazarlas. Ellas siempre estarán allá, por encima de nuestras intenciones humanas. Pero, con relación al apresto del evangelio, al estudio diario de la Biblia y a la oración, nuestra participación es indispensable. Somos nosotros los que tenemos que orar y estudiar la Biblia todos los días. Dios no va a hacer eso en nuestro lugar.

Todos sabemos en qué consiste la oración y el estudio de la Biblia. Pero ¿qué es el "apresto del evangelio de la paz"? Isaías lo explica: "¡Cuán hermosos son sobre los montes, los pies del que trae alegres nuevas! Del que anuncia la paz, del que trae nuevas del bien, del que publica salvación, del que dice a Sión: ¡Tu Dios reina!" (Isaías 52:7). El apresto del evangelio de la paz es conducir personas a Cristo y hacer nuevos discípulos. A esto podemos llamarle testificación. Es un instrumento indispensable en el proceso del crecimiento espiritual. El crecimiento espiritual tiene como objetivo final llevarnos a reflejar el carácter de Jesucristo.

Muchos cristianos logran orar y estudiar la Biblia todos los días. La dificultad que la mayoría encuentra es conducir personas a los pies de Jesús. Gente sincera y bien intencionada, por más que se esfuerza, ve con frecuencia sus intenciones frustradas y, después de algunas iniciativas fracasadas, llega a la conclusión de que "no tiene don para eso". Pero, desde la perspectiva divina, orar, estudiar la Biblia y conducir personas a Jesús no son dones. Son instrumentos claves de crecimiento cristiano. El uso de estos instrumentos determinará el crecimiento en la gracia de Dios.

Para que estos instrumentos tengan validez, tienen que funcionar juntos. Esto trabaja como la dinamita. La dinamita tiene tres elementos: la pólvora, el detonador y la mecha. Aislados uno del otro, la dinamita no existe. Pero juntos, tienen en sí un poder destructivo terrible. Lo mismo sucede en la vida espiritual. La oración y el estudio de la Biblia separados de la testificación no tienen mucho valor. Pueden, incluso, llevarte al fanatismo o al misticismo. Eso es lo que afirma el Espíritu de Profecía:

> "Este período no ha de usarse en una devoción abstracta. El esperar, velar y ejercer un trabajo vigilante han de combinarse" (*SC* 107).

¿A qué llama la Sierva del Señor "devoción abstracta"? Al estudio de la Biblia y a la oración separados del trabajo de buscar personas para Jesús. Pero, si incluyes como parte de tu vida devocional la testificación, entrarás en una dimensión extraordinaria de crecimiento, que te llevará a reflejar la gloria de Dios.

> "Solo cuando nos entregamos a Dios para que nos emplee en el servicio de la humanidad nos hacemos partícipes de su gloria y su carácter" (*ATO* 171).

BIENAVENTURADO

Hablando de su segunda venida, Jesús dijo en cierta ocasión: "Bien por el siervo que, cuando su señor venga, lo encuentre haciendo así" (Mateo 24:46). ¿Así, qué? Cumpliendo la misión. Comprometido con salir y buscar a los pecadores para transformarlos en discípulos de Jesús.

> "Este es el trabajo en que nosotros, además, tenemos que estar comprometidos. En vez de vivir en expectación de alguna ocasión especial de emoción, nosotros tenemos sabiamente que mejorar las oportunidades presentes, haciendo aquello que debe ser hecho en orden a que almas sean salvas. En vez de cansar los poderes de nuestra mente en especulaciones con respecto a los tiempos y las estaciones que el Señor ha puesto en su propio poder, y retiene de los hombres , nosotros tenemos que someternos al control del Espíritu Santo, para presentar deberes, para dar el Pan de vida, sin adulterar con opiniones humanas, a almas que están pereciendo por la verdad" (*RH*, marzo 22, 1892).

Todo miembro, involucrado significa imitar a Jesús. Estas son algunas ideas para involucrarse personalmente:

1. Predica en una serie de evangelización en tu vecindario o en el extranjero.
2. Invita a alguien a aceptar a Jesús como su Salvador personal.
3. Comparte tu ropa con los necesitados.

DISCIPULANDO LÍDERES ESPIRITUALES

No existe iglesia organizada sin líderes. Antes de establecer su iglesia, Jesús formó discípulos líderes. Y Jesús es nuestro Ejemplo. Él trabajó con doce hombres que fueron capaces de sacudir al mundo. ¿Cómo los formó? El relato bíblico responde: "Por esos días Jesús fue al monte a orar, y pasó la noche orando a Dios. Al llegar el día, llamó a sus discípulos y escogió a doce de ellos, a los cuales también llamó apóstoles" (Lucas 6:12, y 13).

ANTES DE FORMAR LÍDERES

Me impresiona la declaración de Lucas: "Por esos días Jesús fue al monte a orar, y pasó la noche orando a Dios". No fue una simple oración antes de comenzar una reunión de nombramientos. Tampoco fueron dos o tres oraciones cortas pidiendo al Padre que concediera sabiduría a la comisión. "Pasó la noche entera orando", afirma Lucas.

¿Por qué tanta oración? Es que al día siguiente escogería los doce hombres que prepararía para dar continuidad al trabajo que había venido a establecer. Aquellos hombres se encargarían de preparar al pueblo de Dios para el Reino de los cielos. Necesitaban ser escogidos con sabiduría.

Jesús enseñó la más importante lección sobre la ciencia de formar líderes formadores de discípulos. No se trata simplemente de formar hombres y mujeres teóricos, o técnicos, sino espirituales. El primer paso es pedir sabiduría a Dios a través de la oración. El trabajo de formar líderes formadores de discípulos es divino. Los seres humanos, sin la actuación directa de Dios, erramos con frecuencia. Aun siendo sinceros, corremos el riesgo de dejarnos llevar solo por criterios humanos.

NO SOLO LA APARIENCIA

Dios le dijo a Samuel, en ocasión de la elección de un rey para Israel, "no te dejes llevar por su apariencia ni por su estatura, porque éste no es mi elegido. Yo soy el Señor, y veo más allá de lo que el hombre ve. El hombre mira lo que está delante de sus ojos, pero yo miro el corazón" (1 Samuel 16:7).

¿Cómo podemos los seres humanos ver como Dios ve? Solo a través de la oración. Por eso Jesús, antes de escoger a sus discípulos, pasó una noche entera orando.

Me refiero a la elección de discípulos líderes, y no apenas de discípulos. Todos somos llamados a ser discípulos de Cristo, en el sentido de proclamar las buenas nuevas del evangelio y formar otros discípulos. Solo algunos son llamados a ser líderes.

EL SER HUMANO COMPLETO

El hombre y la mujer poseen facultades físicas, mentales y espirituales. El Espíritu de Profecía dice que la verdadera educación es el desarrollo armonioso de estas tres facultades. Con frecuencia cometemos el error de enfatizar apenas uno de esos aspectos en la formación de un líder. Hay los que enfatizan la preparación intelectual y teórica. Otros enfatizan la experiencia. Y aun existen los que destacan solo el aspecto espiritual. Al hacer eso, desintegramos al ser humano, perdemos el equilibrio y damos lugar a líderes deformados.

La expresión "líderes deformados" no es peyorativa. No significa que sean malas personas, sino que tienen una visión incorrecta de las cosas, de las personas y de la vida en general. La preparación intelectual es necesaria. La información sobre las diferentes áreas de la vida no puede ser dejada a un lado. Pero la información no transforma; el poder transformador viene del Espíritu Santo. Él toma la información teórica y la aplica a las diferentes circunstancias de la vida, la hace relevante y significativa. Si deseamos formar líderes espirituales, necesitamos llevar a las personas a una experiencia espiritual profunda, sin descuidar la información teórica, ni la capacitación ni la experiencia.

> "La primera gran lección de toda educación consiste en conocer y comprender la voluntad de Dios. Debemos hacer, en cada día de la vida, el esfuerzo para obtener este conocimiento. Aprender la ciencia por la sola interpretación humana es obtener una falsa educación; pero

el aprender de Dios y de Cristo es conocer la ciencia del cielo. La confusión que se nota en la educación proviene de que la sabiduría y el conocimiento de Dios no han sido ensalzados" (*CM* 431).

LA PRACTICIDAD DE JESÚS

Jesús fue nuestro ejemplo en el arte de formar líderes espirituales. En el capítulo 6 del Evangelio de Lucas encontramos enseñanzas que no se limitan solo al aspecto teórico de la preparación de un líder. Jesús presenta allí un evangelio práctico. La enseñanza de Jesús estuvo siempre permeada de realidad práctica. Él no fue un filósofo que presentaba teorías maravillosas acerca de la vida, sino que le daba a la vida respuestas extraídas de la vida misma.

Al revisar sus enseñanzas, es difícil decir dónde terminan sus palabras y empiezan sus hechos, o dónde terminan sus hechos y empiezan sus palabras. Sus hechos eran palabras, y sus palabras eran hechos.

Lucas empieza su relato de la siguiente manera. "Excelentísimo Teófilo: Muchos han tratado ya de relatar en forma ordenada la historia de los sucesos que ciertamente se han cumplido entre nosotros" (Lucas 1:1).

Estos "sucesos que se han cumplido entre nosotros" eran hechos. Lucas no es el filósofo que especula una teoría, sino el historiador que escribe las teorías transformadas en hechos. Después, dice: "...tal y como nos los enseñaron quienes desde el principio fueron testigos presenciales y ministros de la palabra" (Lucas 1:2).

Nota que solo los "testigos presenciales" pueden ser ministros de esa palabra. Son los observadores de un hecho. El evangelio empieza con una palabra. Una palabra que es el propio Dios. Pero la palabra no es solo palabra sino que es vida. Y se hace carne.

Si el evangelio se hubiera quedado en la simple palabra, no pasaría de ser mera teoría. Sus respuestas a los dramas de la vida serían solo respuestas retóricas; pero, al hacerse carne, las respuestas del evangelio a los dramas de la vida se hacen realidades prácticas. Jesús no dijo solo "Amad a vuestros enemigos" sino también él amó y murió por los que lo torturaban. No dijo solo "Perdonad a los que os ofenden", sino también, en la Cruz, perdonó a los que lo crucificaban. No pronunció un discurso maravilloso sobre la maternidad, sino que nació de una mujer, y con ese acto santificó la maternidad. No filosofó sobre el hambre de las naciones, sino que multiplicó panes y peces para saciar el hambre de la multitud.

Su ministerio fue una mezcla asombrosa de la teoría con la práctica, y nos enseñó que esa es la manera correcta de formar líderes. En la vida de un líder cristiano, la teoría y la práctica deben hacerse realidad viva. Por eso, Lucas dice: "Estimado Teófilo, en mi primer tratado hablé acerca de todo lo que Jesús comenzó a hacer y a enseñar, hasta el día en que fue recibido en el cielo, después de que por medio del Espíritu Santo les dio mandamientos a los apóstoles que había escogido" (Hechos 1:1, 2). Hacer y enseñar. Práctica y teoría. Esta es la manera correcta de formar líderes.

NO SOLO TEORÍA

Corremos peligro cuando nos preocupamos solo por la formación teórica del líder. Por alguna razón, Jesús no buscó a sus primeros discípulos en el Sanedrín, sino en el campo y a la orilla del mar. La teoría es necesaria y no la podemos menospreciar, pero la teoría por sí sola llena el corazón de suficiencia propia. O, en la mejor de las hipótesis, forma líderes que flotan en el mar profundo de las ideas, ajenos a los dramas de la vida real. "Porque así ha dicho el Alto y Sublime, el que habita la eternidad, y cuyo nombre es santo: Yo habito en las alturas, en santidad, pero también doy vida a los de espíritu humilde y quebrantado, y a los quebrantados de corazón" (Isaías 57:15).

Encontrar gente "humilde y de espíritu quebrantado" tal vez sea la gran necesidad en la formación de líderes. El verdadero líder necesita aceptar que no sabe. Es la única manera de aprender. No existe liderazgo sano sin aprendizaje, pero ¿qué se le puede enseñar a la persona que piensa que sabe? Humildad. Esa es la virtud clave en la vida de un líder. Pablo dice: "No hagan nada por contienda o por vanagloria. Al contrario, háganlo con humildad y considerando cada uno a los demás como superiores a sí mismo" (Filipenses 2:3).

No se puede preparar un verdadero discípulo líder sin llevarlo primero a Jesús. Solo en el compañerismo diario con Cristo, el carácter de Jesús se reproduce en el ser humano. El propio líder no percibe que es humilde, pero las personas que se relacionan con él notan que su vida refleja el carácter del Maestro. "Que haya en ustedes el mismo sentir que hubo en Cristo Jesús, quien, siendo en forma de Dios, no estimó el ser igual a Dios como cosa a que aferrarse, sino que se despojó a sí mismo y tomó forma de siervo, y se hizo semejante a los hombres; y estando en la condición de hombre, se humilló a sí mismo y se hizo obediente hasta la muerte, y muerte de cruz. Por lo cual

Dios también lo exaltó hasta lo sumo, y le dio un nombre que es sobre todo nombre" (Filipenses 2:5-9).

¿Notas la trayectoria de un líder espiritual? Él se humilla, y Dios lo exalta. Él no lucha para aparecer. Desaparece en el mar del servicio, y sin embargo la propia vida se encarga de registrar su nombre en la historia. Dios busca hombres y mujeres dispuestos a ser usados por su Espíritu. Mujeres y hombres que tengan conciencia de su insuficiencia y se coloquen en las manos del Maestro para ser usados por él.

LOS LÍDERES QUE JESÚS FORMÓ

Necesitamos volver a los escritos de Lucas, el historiador. Esta vez leeremos lo que él escribió en el libro de los Hechos: "Estimado Teófilo, en mi primer tratado hablé acerca de todo lo que Jesús comenzó a hacer y a enseñar, hasta el día en que fue recibido en el cielo, después de que por medio del Espíritu Santo, les dio mandamientos a los apóstoles que había escogido. Después de su muerte, se les presentó vivo y, con muchas pruebas que no admiten duda, se les apareció durante cuarenta días y les habló acerca del reino de Dios. Mientras estaban juntos, les mandó que no se fueran de Jerusalén, sino que les dijo: Esperen la promesa del Padre, la cual ustedes oyeron de mí. Como saben, Juan bautizó con agua, pero dentro de algunos días ustedes serán bautizados con el Espíritu Santo" (Hechos 1:1-4).

¿Cómo formó Jesús a esos discípulos líderes? Lucas dice: "Estimado Teófilo, en mi primer tratado hablé acerca de todo lo que Jesús comenzó a hacer y a enseñar". Observa la secuencia que Jesús seguía al discipular líderes. Primero hacía y después enseñaba. En el salón de clases, los discípulos confirmaban lo que habían visto y hecho con Jesús en la práctica. ¿Tendríamos que aprender algo de todo esto?

En segundo lugar, Jesús les hablaba del Reino de Dios. ¿Cuál es la naturaleza del Reino de Dios? ¿Cómo puede alguien liderar el Reino de Dios en esta Tierra si no conoce su naturaleza? El Reino de Dios es espiritual; entonces, necesita líderes espirituales. Que sean capacitados, que conozcan la teoría, pero que en primer lugar sean espirituales. Después, Lucas registra las palabras de Jesús que amonestan a sus discípulos a no salir en el cumplimiento de la misión sin tener la seguridad de que recibieron al Espíritu Santo. Y esto es obvio. Porque, si esos líderes van a cumplir una misión espiritual, necesitan ser hombres y mujeres espirituales. Necesitan recibir al Espíritu.

LA MISIÓN ES DE TODOS LOS CREYENTES

Los líderes formadores de discípulos deben entender que la misión fue encomendada por Dios a todos los creyentes, sin excepción. La misión es el instrumento divino para el crecimiento del cristiano. La misión es de cada creyente. Cada creyente necesita crecer.

> "Los dirigentes de la iglesia de Dios han de comprender que la comisión del Salvador corresponde a todo el que cree en su nombre" (*HAp* 92).

Esta declaración es dramática. Son los discípulos líderes los llamados a entender que, para fomentar el crecimiento de iglesia, no es suficiente contratar a un grupo de instructores bíblicos y evangelistas profesionales, bautizar bastante y aumentar el número de miembros.

Las campañas de evangelismo, el trabajo de los instructores bíblicos y el bautismo de personas tienen su lugar, y esto último es maravilloso cuando es el resultado del trabajo individual de cada cristiano. Pero, si esas actividades fomentan el crecimiento de las estadísticas y dejan al creyente de brazos cruzados, es lo peor que le puede suceder a la iglesia. Los líderes deben entender que:

> "El salvar almas debe ser la obra de la vida de todos los que profesan a Cristo. Somos deudores, al mundo, de la gracia que Dios nos concedió, de la luz que ha brillado sobre nosotros, y de la hermosura y el poder que hemos descubierto en la verdad" (*SC* 14).

TRABAJO DESCUIDADO

El Espíritu de Profecía enfatiza una y otra vez que "el salvar almas debe ser la obra de la vida de todos los que profesan a Cristo". "Todos". No "algunos". No "unos pocos", sino "Todos".

El mundo ya estaría evangelizado si hubiéramos seguido el plan maestro de Jesucristo y nos hubiéramos preocupado por llevar a cada miembro de iglesia a buscar a sus amigos, parientes y vecinos para transformarlos en discípulos. Pero, desdichadamente, el plan divino pasó a ser "un método más", en medio de tantos planes. No solo en nuestros días. A fines del siglo XIX, el Espíritu de Profecía ya afirmaba:

"Cada alma que Cristo ha rescatado está llamada a trabajar en su nombre para la salvación de los perdidos. Esta obra había sido descuidada en Israel. ¿No es descuidada hoy por los que profesan ser los seguidores de Cristo?" (*PVGM* 175).

Piensa en el verbo "descuidar". No significa rechazar sino considerar que es un asunto sin mucha importancia, darlo por obvio, suponer que todo va bien, mientras al mismo tiempo andamos preocupados por descubrir otra manera "revolucionaria" de cumplir la misión; algún método que demande poco tiempo, poco dinero y poco esfuerzo, y que multiplique el número de miembros con extrema rapidez.

ASUNTO DE SUMA IMPORTANCIA

Este es un asunto más importante de lo que parece a simple vista. Con frecuencia tiemblo ante conceptos inspirados que están ante nuestros ojos. Como este:

"Los dirigentes de la iglesia de Dios han de comprender que la comisión del Salvador se da a todo el que cree en su nombre" (*HAp* 90).

¿Sabes lo que Dios dice? Que antes de elegir a alguien para algún cargo directivo dentro de la iglesia, en cualquier nivel, debemos preguntarnos si esa persona entendió que "la comisión del Salvador se da a todo el que cree en su nombre". No son los talentos administrativos, ni los títulos ni las estadísticas positivas que acompañen su trayectoria, sino el hecho de si entendió o no el plan divino para su iglesia.

El Espíritu de Profecía lo dice más de una vez y de varias maneras:

> " 'Me alegraré con Jerusalén, y me gozaré con mi pueblo' (Isaías 65:19), declaró Dios por medio de su siervo Isaías. Estas palabras encontrarán su cumplimiento cuando los que son capaces de ocupar posiciones de responsabilidad dejen brillar su luz... Los métodos de trabajo de Cristo deben llegar a ser sus métodos, y deben aprender a practicar las enseñanzas de su palabra" (*CSS* 336).

Aunque estas palabras fueron escritas, originalmente, refiriéndose a la obra médica, es dramático el llamado de la Sierva de Dios. Ella dice que, si soy capaz de ocupar una posición de responsabilidad, no solo debo dejar brillar mi luz, sino también, como líder, tengo la obligación de seguir los métodos de Cristo y de practicar las enseñanzas de su Palabra.

> "Los ancianos y los que tienen puestos directivos en la iglesia deben dedicar más pensamiento a los planes que hagan para conducir la obra. Deben arreglar los asuntos de tal manera que todo miembro de la iglesia tenga una parte que desempeñar, que nadie lleve una vida sin propósito" (*SC* 77).

La iglesia jamás llegará más allá de donde yo, como discípulo líder, llego. Es mi deber apoderarme del sueño divino, hacerlo mío, cerrar los ojos e imaginar al Señor Jesucristo volviendo en las nubes de los cielos para encontrar a su iglesia gloriosa, sin mancha, sin arruga ni cosa parecida.

¿Qué tipo de líderes estamos formando?

TMI **Todo miembro, involucrado** consiste en tener una búsqueda activa para alcanzar a los perdidos. Estas son algunas ideas para involucrarse personalmente:

1. TMI no es independiente; se trata de conectar los puntos.
2. Planifica un calendario anual y da a cada persona una tarea para realizar.
3. Ora por el derramamiento del Espíritu Santo.

EL PRECIO DEL DISCIPULADO

SEGUIR A JESÚS NUNCA FUE FÁCIL. CAMINAMOS a contramano de esta vida. Lo que más busca el Enemigo es destruir a los seguidores de Jesús. Y, a pesar de las maravillosas promesas bíblicas, necesitamos ser conscientes de que el pueblo de Dios sigue peregrinando rumbo a su glorioso destino. Nuestro hogar no es en este mundo. En el mundo estamos, pero no somos del mundo. Los negocios de nuestro Padre no son terrenales.

Para Jesús, esa idea estaba clara desde que era un niño de apenas doce años, y un día les preguntó a sus padres:

"¿Por qué me buscan? ¿No sabían que en los negocios de mi Padre me conviene estar?"

NO ES FÁCIL SEGUIR A JESÚS

Los negocios del Padre no son siempre los negocios de esta vida. La manera de pensar del Padre, con toda seguridad, no es la manera de pensar de este mundo. Dios ve las cosas de un modo diferente de como nosotros las vemos. Por eso, dijo: "No piensen que he venido para traer paz a la tierra; no he venido para traer paz, sino espada. He venido para poner al hijo contra su padre, a la hija contra su madre, y a la nuera contra su suegra. Los enemigos del hombre serán los de su casa. El que ama a su padre o a su madre más que a mí, no es digno de mí. El que ama a su hijo o hija más que a mí, no es digno de mí. El que no toma su cruz y me sigue, no es digno de mí" (Mateo 10:34-38).

Estas palabras de Jesús han sido mal interpretadas por mucha gente a lo largo de la historia. Hay, incluso, personas que piensan que el cristianismo promueve la destrucción de la familia y de las buenas relaciones humanas. Pero, no es así. Al pronunciar Jesús estas palabras, simplemente estaba describiendo la realidad de muchos discípulos, incomprendidos por su propia familia y por sus mejores amigos. Gente que dice "amarte" mientras encajas en su manera de ver las cosas, pero que se vuelven contra ti al descubrir que estudias la Palabra de Dios y deseas andar en los caminos del Señor.

Recuerdo a una madre que lloraba noche y día para que la hija abandonara el mundo de las drogas y de la promiscuidad en que había vivido sumergida durante años. Un día la muchacha conoció a Jesús y, por el poder del evangelio, abandonó la vida de pecado y regresó a casa. Al principio, la madre se alegró mucho con la llegada de su hija, pero cuando descubrió que se había bautizado en la iglesia, le dijo: "Preferiría verte drogadicta y ramera que protestante".

Jesús describió este triste cuadro al decir: "No piensen que he venido para traer paz a la tierra; no he venido para traer paz, sino espada. He venido para poner al hijo contra su padre, a la hija contra su madre, y a la nuera contra su suegra".

No es fácil seguir a Jesús, por causa de la intolerancia del ser humano natural. Muchas veces las circunstancias llevarán al nuevo discípulo a decidir a quién colocar en primer lugar, si a Cristo o a las personas más queridas. No hay manera de seguir a Jesús agradando a todo el mundo.

NO SOLO SUFRIMIENTO

Pero, no todo es sufrimiento. Mientras camine en esta Tierra, la vida del discípulo estará salpicada de lágrimas y dolor. Pero, en medio del dolor, Jesús traerá alivio al corazón.

Hay un incidente en la vida de Cristo que nos enseña una lección con relación a este asunto: "Desde entonces Jesús comenzó a explicar a sus discípulos que él debía ir a Jerusalén y padecer mucho a manos de los ancianos, de los principales sacerdotes y de los escribas, y morir, y resucitar al tercer día. Pedro lo llevó aparte y comenzó a reconvenirlo: 'Señor, ¡ten compasión de ti mismo! ¡Que esto jamás te suceda!' Pero él se volvió y le dijo a Pedro: '¡Aléjate de mi vista, Satanás! ¡Me eres un tropiezo! ¡Tú no piensas en las cosas de Dios, sino en cuestiones humanas!' A sus discípulos, Jesús les dijo: 'Si alguno quiere seguirme, niéguese a sí mismo, tome su cruz, y sígame. Porque todo el que quiera salvar su vida, la perderá; y todo el que pierda su vida por causa de mí, la hallará' " (Mateo 16:21-25).

Coloqué el texto completo para tener una idea clara de lo que Jesús dijo. En primer lugar, él hablaba de su propia misión. Él no vino al mundo a vivir, sino a morir. Desde que tuvo conciencia de las cosas, sabía que se encaminaba hacia la muerte. Era la única manera de salvar al ser humano.

Pedro, aparentemente, no entendía esto, y el Maestro reprochó su incapacidad de entender las cosas divinas. Después, dirigiéndose a sus discípulos, les dijo que era necesario tomar su cruz y seguirlo.

Hay cristianos que piensan que la vida cristiana es sinónimo de sufrimiento porque la recompensa está en el cielo. Eso es verdad en parte. Nuestra verdadera recompensa está en el cielo, pero eso no es motivo para creer que la vida cristiana es sufrimiento en esta Tierra.

> "Es un error dar cabida al pensamiento de que Dios se complace en ver sufrir a sus hijos. Todo el cielo está interesado en la felicidad del hombre. Nuestro Padre celestial no cierra las avenidas del gozo a ninguna de sus criaturas" (*CC* 47).

Pero, Jesucristo ¿no sufrió? Claro que sí. Él vino a tomar nuestra muerte y darnos su vida, a tomar nuestros pecados sobre sí y darnos su justicia. Vino a este mundo a tomar nuestros dolores, aflicciones y enfermedades, y darnos vida abundante. ¿Qué clase de vida abundante es una vida llena de sufrimiento?

El sufrimiento existe. Es parte de esta vida. Vivimos en un mundo que no ama a Dios, ni a los que siguen a Jesús. Por lo tanto, no faltarán dificultades, persecuciones y presiones. Con frecuencia tendremos que escoger entre quedarnos con las personas o con Jesús. Pero, de allí a pensar que la vida cristiana tiene que ser solo sufrimiento hay mucha distancia. La vida cristiana es gozo, paz, alegría y regocijo en Cristo.

Sin embargo, es necesario saber que aceptar a Jesús tiene un precio. Y hay que estar dispuesto a pagarlo. Quién cobra el precio no es Jesús. La salvación es por gracia. Quienes lo cobra es el enemigo de Jesús.

LAS LUCHAS DEL DISCÍPULO

Las batallas que el discípulo enfrenta no son apenas exteriores, por parte de los que no creen en Cristo. La mayoría de las veces son batallas interiores.

> "La guerra contra nosotros mismos es la batalla más grande que jamás hayamos tenido. El rendirse a sí mismo, entregando todo a la voluntad de Dios, requiere una lucha; mas para que el alma sea renovada en santidad, debe someterse antes a Dios" (*CC* 43).

¿En qué consiste la guerra contra nosotros mismos? ¿Qué significa "someterse a Dios"? Mucha gente pregunta: La vida cristiana ¿requiere esfuerzo? Claro que sí. Pablo dice: "¿Acaso no saben ustedes que, aunque todos corren en el estadio, solamente uno se lleva el premio? Corran, pues, de tal manera que lo obtengan. Todos los que luchan, se abstienen de todo. Ellos lo hacen para recibir una corona corruptible; pero nosotros, para recibir una corona incorruptible. Así que yo corro y lucho, pero no sin una meta definida; no lo hago como si estuviera golpeando el viento; más bien, golpeo mi cuerpo y lo someto a servidumbre, no sea que después de haber predicado a otros yo mismo quede eliminado" (1 Corintios 9:24-27).

El apóstol habla de lucha. Pero, si estudias detenidamente los escritos de Pablo, verás que él habla de dos tipos de lucha: la lucha de la fe y la lucha contra el pecado (1 Timoteo 6:12; Hebreos 12:4). La lucha del discípulo es la lucha de la fe. La lucha para ir a Jesús y esconderse en él. La lucha para estudiar la Biblia todos los días, orar diariamente y conducir personas a Cristo. Esta es la lucha para mantener comunión con Cristo. Esto es "someterse a Dios". No es fácil, porque cargamos la naturaleza pecaminosa, a la que no le gusta el compañerismo con Jesús.

Pablo explica mejor esto al afirmar: "Así que yo corro y lucho, pero no sin una meta definida; no lo hago como si estuviera golpeando el viento" (1 Corintios 9:26). El apóstol sabía por qué luchaba. Hay una lucha en la que solo Jesús puede vencer. No te atrevas a entrar en esa lucha, en la que vas a fracasar. Es "como golpear el viento".

Pero, hay otra lucha que solo tú la puedes sostener. Jesús no te puede obligar a estudiar la Biblia, orar, o testificar. Tú tienes que hacerlo. Esa lucha está en tus manos. Depende de tu voluntad, de tu decisión. Pero, si insistes en mantener comunión constante con Cristo, el carácter de Jesús se reproducirá en tu vida, su voluntad pasará a ser tu voluntad. Tu voluntad pecaminosa se transformará en una voluntad santificada, y entonces el enemigo estará derrotado. Por lo tanto, el discipulado requiere lucha y ejercicio de la voluntad.

> "Por medio del debido ejercicio de la voluntad, puede obrarse un cambio completo en vuestra vida. Al dar vuestra voluntad a Cristo, os unís con el poder que está sobre todo principado y potestad. Tendréis fuerza de lo Alto para sosteneros firmes, y rindiéndoos así constantemente a Dios seréis fortalecidos para vivir una vida nueva, es a saber, la vida de la fe" (*CC* 49).

MALENTENDIDO

Existe mucha confusión en relación con el tema de la victoria en Cristo y el uso de la fuerza de la voluntad. ¿Quién es el que vence? ¿Jesús o tú? ¿Es Jesús, y tú solamente recibes la victoria? ¿O eres tú, con la ayuda de Jesús? ¿Cuál es la participación humana? Tener fe ¿es quedarse de brazos cruzados esperando que Jesús controle la vida? ¿Dónde queda la participación humana? ¿Cuál es el papel de la fuerza de voluntad?

EL apóstol Pablo explica este asunto de manera sencilla. Al ir a Jesús y convivir con él, Jesús se hace parte de tu vida. Él habita en ti mediante su Espíritu. "¿Acaso ignoran que el cuerpo de ustedes es templo del Espíritu Santo, que está en ustedes, y que recibieron de parte de Dios, y que ustedes no son dueños de sí mismos?" (1 Corintios 6:19).

El Espíritu está en el discípulo. ¿Qué sucede entonces? El Espíritu Santo ¿te obliga a hacer las cosas correctas aunque tú no quieras? ¡No! Tú no te transformas en una máquina o robot, obligado a hacer algo contra tu voluntad. Lo que sucede es algo maravilloso. Cuando permites que Jesús forme parte de tu vida, y el Espíritu Santo habita en tu corazón, ambos pasan a ser como una sola persona. Las voluntades se unen. "Pero con Cristo estoy juntamente crucificado, y ya no vivo yo, sino que Cristo vive en mí; y lo que ahora vivo en la carne, lo vivo en la fe del Hijo de Dios, el cual me amó y se entregó a sí mismo por mí" (Gálatas 2:20).

"Ya no vivo yo", dice Pablo. Y ¿a dónde vas tú si Cristo vive ahora en ti? "Y lo que ahora vivo en la carne" –sigue diciendo el apóstol. Espera un poco. ¿No acaba de decir "ya no vivo"? ¿Cómo, entonces, añade "y lo que ahora vivo"? Al final de cuentas, Pablo ¿vive o no vive?

Esta es la maravillosa realidad del discípulo. Cuando vives una vida de comunión diaria con Jesús, su voluntad y la tuya se unen. Son dos voluntades en una. Sus deseos pasan a ser también tus deseos. Entonces, cuando llega el momento de la lucha, ¿quién decide? ¿Él o tú? Él, pero tú. ¿Quién es el que derrota al enemigo? Tú, pero él.

Tu comunión con Jesús es tan profunda y tu convivencia con él tan íntima que las dos voluntades se transforman en una sola. La vida que ahora vives la vives en la fe del Hijo de Dios. Esto lo confirma el Espíritu de Profecía al decir:

> "Al someternos a Cristo, nuestro corazón se une al suyo, nuestra voluntad se fusiona con su voluntad, nuestra mentalidad se vuelve una con la de él. Nuestros pensamientos serán llevados cautivos a él, vivimos su vida... cuando el propio yo es sometido a Cristo, el verdadero amor brota espontáneamente.

> No es una emoción o un impulso pero sí la decisión de una voluntad santificada" (1*MCP* 171).

¿Notas? La fuerza que derrota al enemigo no es una fuerza particular tuya, ni un trabajo exclusivo de Jesús. No un poco tú, o un poco él. Es un solo esfuerzo. Una sola actitud. Una sola decisión. Jesús y tú fundidos en una sola voluntad, llamada "voluntad santificada".

Todo lo que el ser humano debe hacer es ir a Jesús y permanecer en él. Jesús es la vida, la salvación y la justicia. Al lado de la Justicia, el pecado no puede existir. Ambas cosas no andan juntas.

> "Fue así que los primeros discípulos alcanzaron la semejanza con el amante Salvador... Estaban con él en la casa, en la mesa, en el aposento particular, en el campo. Se unía a él como los discípulos a su maestro... lo miraban como siervos a su Señor" (*CC* 52).

¡Seguir a Jesús! ¿No es eso lo que el discípulo hace? Convivir con él mediante la oración, el estudio diario de su Palabra y la testificación. Entonces habitará Cristo en nosotros.

> "Cuando Cristo habita en el corazón, el alma se llenará de su amor y del gozo de la comunión con él, de tal manera que se apegará a él; y en su contemplación se olvidará el propio yo" (*CC* 31).

LOS COSTOS

¿Vale la pena seguir a Jesús? Esta es una pregunta aparentemente sin sentido. Seguimos a Jesús por amor, no por cálculos humanos, o beneficios de parte de Dios. Pero, nuestra naturaleza humana nos lleva siempre a buscar lo que nos conviene. La pregunta de Pedro es un prueba de su humanidad: "Pedro dijo entonces: 'Nosotros hemos dejado nuestras posesiones, y te hemos seguido'. Y Jesús les dijo: 'De cierto les digo, que cualquiera que haya dejado casa, padres, hermanos, mujer, o hijos, por el reino de Dios, recibirá mucho más en este tiempo, y en el tiempo venidero recibirá la vida eterna' " (Lucas 18:28-30).

Voy a explicar esto con una ilustración. Cuando era niño, mis padres estaban planeando unas vacaciones a nuestra tierra natal. Unos días antes, me empezó a doler un diente. En ese tiempo, no se curaba un diente que dolía. Se lo arrancaba. Y mi padre me dijo:

–Vamos a arrancar ese diente de una vez, para que tengas unas vacaciones sin problemas.

Pero, yo no quería. Aparenté que el problema había terminado, que estaba todo bien, y le dije:

–El dolor ya pasó, ya no me molesta más.

La verdad era diferente. El diente me seguía doliendo pero yo temía ir al dentista.

Nos fuimos de vacaciones, y el bendito diente empeoró. Mis hermanos disfrutaban de las actividades y yo sufría. No había un dentista en el lugar, y pasé las peores vacaciones de mi vida. Al verme sufrir, mi padre dijo:

–Podías haber sufrido un día y disfrutado de tus vacaciones, pero preferiste sufrir todas las vacaciones.

Es eso más o menos lo que Jesús le dijo a Pedro. Esta vida es corta y, como vivimos en mundo de dolor, puede haber sufrimiento para el cristiano. Pero te espera la vida eterna sin dolor. Ahora, si prefieres, puedes disfrutar de los placeres de la carne en esta Tierra, pero esta vida es pasajera, y pronto llegará al fin.

REALIDADES

Hace un tiempo, un joven me dijo: "Pastor, yo prefiero la realidad de este mundo que veo, y no la esperanza de un cielo que no veo". Siempre ha habido gente que ha pensado de esta forma. Pero, por otro lado, también siempre ha habido gente que, dejando todo, ha seguido a Jesús. En la Epístola a los Hebreos, encontramos la descripción de esas personas: "¿Y qué más puedo decir? Tiempo me faltaría para hablar de Gedeón, de Barac, de Sansón, de Jefté, de David, así como de Samuel y de los profetas, que por la fe conquistaron reinos, impartieron justicia, alcanzaron promesas, taparon bocas de leones, apagaron fuegos impetuosos, escaparon del filo de la espada, sacaron fuerzas de flaqueza, llegaron a ser poderosos en batallas y pusieron en fuga a ejércitos extranjeros. Hubo mujeres que por medio de la resurrección recuperaron a sus muertos. Pero otros fueron atormentados, y no aceptaron ser liberados porque esperaban obtener una mejor resurrección. Otros sufrieron burlas y azotes, y hasta cadenas y cárceles. Fueron apedreados, aserrados, puestos a prueba, muertos a filo de espada; anduvieron de un lado a otro, cubiertos de pieles de oveja y de cabra, pobres, angustiados y maltratados. Estos hombres, de los que el mundo no era digno, anduvieron errantes por los desiertos, por los montes, por las cuevas y por las cavernas de la tierra. Y aunque por medio de la fe todos ellos fueron reconocidos y aprobados, no recibieron lo prometido" (Hebreos 11:32-39).

Todos esos hombres y mujeres murieron sin ver la recompensa. Pero la corona de ellos está guardada, esperándolos. Ellos fueron fieles en lo poco, y el Señor los pondrá en lo mucho. "Por lo tanto, también nosotros, que tenemos tan grande nube de testigos a nuestro alrededor, liberémonos de todo peso y del pecado que nos asedia, y corramos con paciencia la carrera que tenemos por delante. Fijemos la mirada en Jesús, el autor y consumador de la fe, quien por el gozo que le esperaba sufrió la cruz y menospreció el oprobio, y se sentó a la derecha del trono de Dios" (Hebreos 12:1, 2).

"¡Corramos!" Ni la carrera ni la lucha terminaron aún. Yo vengo corriendo hace mucho tiempo. Y lo sigo haciendo. Tal vez la muerte me sorprenda en algún rincón de la vida, pero sigo corriendo seguro de que la corona me espera.

¿Y tú?

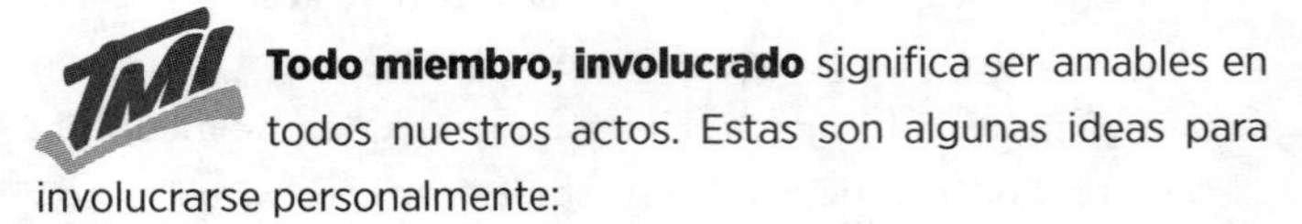

Todo miembro, involucrado significa ser amables en todos nuestros actos. Estas son algunas ideas para involucrarse personalmente:

1. Desarrolla el hábito de encontrar la necesidad de tu comunidad.
2. Lleva flores a un asilo de ancianos o a un refugio.
3. Gana hoy una persona para Jesús.

EL DISCÍPULO Y LA COSECHA FINAL

JUANA ES UNA FIEL SIERVA DE DIOS, COMPROmetida con la misión. Ella llegó al conocimiento del evangelio a través de la labor abnegada de Julia, una compañera de trabajo que tuvo mucha paciencia con ella. Juana, al principio, no deseaba conversar con Julia de asuntos que tuvieran que ver con la religión. Ella era miembro fiel de otra iglesia y le había prometido a su madre, en el lecho de muerte, que jamás traicionaría la fe de sus padres.

Pero Julia se aproximó a Juana siguiendo el método de Cristo. No le habló de la religión, ni le dio la impresión de que deseaba traerla a su iglesia. Simplemente, desarrolló con ella una bellísima amistad, le mostró simpatía, la ayudó en todo lo que Juana necesitaba, y fue conquistando su confianza poco a poco.

Un bello día, Julia se sorprendió por la pregunta de Juana:

–¿Por qué eres así?

–¿Así ? ¿Cómo?

–Así, bondadosa, sencilla, abnegada; en fin, una amiga en quien se puede confiar.

–No sé, Juana; yo no hago nada premeditado, simplemente soy así.

–Pero hay algo especial en ti. Tú eres miembro de alguna iglesia, ¿no?

–Creo que soy más una seguidora de Jesús.

–¿Qué quieres decir con eso?

–Que sigo a Jesús y trato de hacer lo que encuentro en su Palabra. Y claro, también asisto a la Iglesia Adventista del Séptimo Día.

–Qué nombre extraño. Nunca lo había oído.

Así, ellas empezaron a estudiar la Biblia juntas. Los preconceptos de Juana desaparecieron, y hoy es una fiel discípula de Jesús que se esfuerza por hacer y formar nuevos discípulos.

Sin embargo, ella anda un poco triste en los últimos días. Hay dos personas por las cuales trabaja para conducirlas a Jesús, pero aparentemente no ve resultados.

–Creo que voy a desistir, porque tienen el corazón muy duro –se queja.

Lo que Juana no sabe es que la cosecha final está por venir y que la palabra de Dios jamás vuelve vacía.

LA PROFECÍA

En el capítulo 14 del libro de Apocalipsis, encontramos registrados los tres mensajes angélicos, que simbolizan al remanente que Dios levantó en 1844 con la finalidad de predicar el último mensaje al mundo. Ese mensaje debe ser proclamado a “toda tribu, lengua y pueblo". Es un mensaje de carácter mundial, y tiene como centro el evangelio eterno, en el marco del Juicio Investigador y la adoración al único y verdadero Dios creador del cielo y de la Tierra.

Esta obra debe ser hecha con rapidez. No hay tiempo que esperar. El carácter del mensaje es urgente. Por eso, el primer ángel "vuela" en medio del cielo. Hombres y mujeres del Remanente salen por todo el mundo proclamando este mensaje. Siembran la semilla. La esparcen por todos los rincones del mundo, personalmente, y a través de la radio, la televisión, la página impresa y las redes sociales. Es una obra de siembra asombrosa.

A continuación, en el mismo capítulo 14, encontramos lo siguiente: "Miré, y vi aparecer una nube blanca. Sobre esa nube estaba sentado alguien que parecía ser el Hijo del Hombre. Llevaba en la cabeza una corona de oro, y en la mano tenía una hoz afilada. En ese momento, otro ángel salió del templo; y con fuerte voz le gritó al que estaba sentado sobre la nube: ¡Usa tu hoz, y levanta la cosecha! ¡Ha llegado la hora de cosechar, pues la cosecha de la tierra ya está madura! El que estaba sentado sobre la nube lanzó su hoz sobre la tierra, y la cosecha de la tierra fue levantada" (Apocalipsis 14:14-16).

LA COSECHA

Esta es una profecía-promesa. Llegará el día en que el propio Señor Jesucristo entrará en acción para cosechar lo que su iglesia sembró. Ese día, Juana verá que lo que le parecía tiempo desperdiciado era apenas el tiempo que Dios necesitaba para hacer madurar la semilla en el corazón de los seres humanos. La Sierva de Dios dice:

"Quizá durante algún tiempo la buena semilla permanezca inadvertida en un corazón frío, egoísta y mundano, sin dar evidencia de que se ha arraigado en él; pero después, cuando el Espíritu de Dios da su aliento al alma, brota la semilla oculta, y al fin da fruto para la gloria de Dios. En la obra de nuestra vida, no sabemos qué prosperará, si esto o aquello. No es una cuestión que nos toque decidir. Hemos de hacer nuestro trabajo y dejar a Dios los resultados. 'Por la mañana siembra tu simiente, y a la tarde no dejes reposar tu mano' (Eclesiastés 11:6). El gran pacto de Dios declara que 'todos los tiempos de la tierra; la sementera y la siega... no cesarán' (Génesis 8:22). Confiando en esta promesa, ara y siembra el agricultor. No menos confiadamente hemos de trabajar nosotros en la siembra espiritual, confiando en su promesa: 'Así será mi palabra que sale de mi boca: no volverá a mí vacía, antes hará lo que yo quiero, y será prosperada en aquello para que la envié' (Isaías 55:11). 'Irá andando y llorando el que lleva la preciosa simiente; mas volverá a venir con regocijo, trayendo sus gavillas' (Salmo 126:6)" (*PVGM* 451).

Mi madre oró y trabajó por la conversión de mi padre por 34 largos años. Desde el punto de vista humano, parecía que él nunca aceptaría a Jesús como su Salvador. No era malo desde el punto de vista moral. Era un ciudadano correcto, un buen esposo y un padre ejemplar, pero espiritualmente se encontraba muerto y no mostraba interés por las cosas del Espíritu. Pero un día nos sorprendió a todos cuando confesó que se había rendido a Jesús y que deseaba ser bautizado.

El sábado ya casi llegaba al fin cuando tuve la alegría de entrar en el tanque bautismal para sepultar en las aguas a mi padre. Aquel día, en medio de la gente había una mujer con los ojos lagrimeantes. Ella había orado por aquel hombre por más de tres décadas, y finalmente podía ver el trabajo de Dios hecho realidad.

Sí. La conversión es una obra divina. Nosotros solo debemos sembrar y cultivar, y dejar en las manos de Dios el resto del trabajo.

> "La parábola de la semilla revela que Dios obra en la naturaleza. La semilla tiene en sí un principio germinativo, un principio que Dios mismo ha implantado; y, sin embargo, si se abandonara la semilla a sí misma, no tendría poder para brotar. El hombre tiene una parte que realizar para promover el crecimiento del grano. Debe preparar y abonar el terreno, y arrojar en él la simiente. Debe arar el campo. Pero hay un punto más allá del cual nada puede hacer. No hay fuerza ni sabiduría humana que pueda hacer brotar de la semilla la planta viva. Después de emplear sus esfuerzos hasta el límite máximo, el hombre debe depender aún de Aquel que ha unido la siembra a la cosecha con eslabones maravillosos de su propio poder omnipotente" (*PVGM* 434).

NO PUEDE HABER COSECHA SIN SIEMBRA

Ha llegado el tiempo de la cosecha final. El mundo en el que vivimos se está cayendo a pedazos. Hay crisis de credibilidad en las naciones. Existe un miedo universal que se apodera de los corazones. El propio planeta gime como con dolores de parto. Se calienta el clima, se desequilibra la naturaleza. Terremotos, huracanes y otros fenómenos naturales siembran el pánico por doquier. Ha llegado la hora de prepararnos para la cosecha final. Pero no puede haber cosecha donde no se sembró, ni se cultivó.

Esa es la misión de cada discípulo. Salir y buscar personas para Cristo. Decirles que Dios las ama y que no hay más tiempo que perder. Ir a ellas con el instrumento del amor y traerlas al reino del amor. Y "Bien por el siervo que, cuando su señor venga, lo encuentre haciendo así" (Mateo 24:46).

TMI **Todo miembro, involucrado** consiste en volverse discípulos activos de Jesús. Estas son algunas ideas para involucrarse personalmente:

1. Invite a otros miembros de la iglesia a involucrarse.
2. Organice un grupo pequeño para visitar y orar por la comunidad.
3. Pida el derramamiento del Espíritu Santo todos los días.

www.tmi.adventist.org